Susanna Tamaro

Il cerchio magico

illustrazioni di Tony Ross

MONDADORI

ragazzi.mondadori.com

© 1995 Arnoldo Mondadori Editore S.p.A., Milano
Prima edizione collana "Contemporanea" marzo 1995
Prima edizione collana "Junior -10" gennaio 1998
Ottava ristampa novembre 2003
Stampato presso Mondadori Printing S.p.A.
Stabilimento N.S.M., Cles (TN)
Printed in Italy
ISBN 88-04-44647-1

Mamma Guendy

Che cos'era la felicità?

Rick stava seduto sul pavimento di una stanza tutta bianca e guardava in alto, al di là delle sbarre che lo separavano dal cielo. Quella stanza non era la sua tana, non c'erano le foglie calde su cui sdraiarsi. C'era un pavimento di piastrelle. Erano lisce e fredde come la superficie del lago ghiacciato. Rick amava stare nudo e rotolarsi nel fango.

Che cos'era la felicità?

Da quando stava chiuso là dentro se lo ripeteva come un ritornello. Cos'era la felicità, cos'era la felicità, cos'era la felicità?

Una volta, tanto tempo prima, l'aveva chiesto a Guendy, la sua mamma adottiva. Stavano distesi in una radura, era una mattina di maggio, l'aria era tiepida e portava l'odore dei fiori.

— Mamma, cos'è la felicità? — le aveva chiesto.

La mamma aveva posato il naso sulla sua fronte.

— Tesoro — gli aveva risposto — non farti domande piú grandi di te.

Perché quel giorno non aveva insistito? Adesso vicino a lui non c'era piú nessuno in grado di rispondergli.

Guendy era un cane lupo ed aveva quasi sei anni. Dalla madre – un vero lupo – aveva preso il pelo color argento. Dal padre – un pastore tedesco – aveva ereditato, oltre al colore degli occhi, anche la capacità di leggere nel cuore degli uomini. Suo padre, Akira, era stato un cane poliziotto, uno dei migliori. Grazie al suo fiuto straordinario aveva trovato tanti bambini che si erano persi nel bosco, e proprio durante la ricerca di un bambino aveva incontrato la sua futura moglie. Era autunno, fiutando il suolo di un bosco di faggi tutt'a un tratto se l'era trovata di fronte. Una giovane lupa. Aveva fissato i suoi occhi gialli in quelli di Akira. Intorno, a parte un picchio che becchettava un tronco, c'era un silenzio assoluto. Akira non aveva mai visto prima uno sguardo simile. C'era tenerezza in quegli occhi, tenerezza e forza. Proprio quando lui stava per chiederle il nome, lei si era voltata e con passo lieve aveva iniziato a correre. Correva rapida e leggera come un banco di nebbia spinto dal vento. Senza esitare neanche un istante lui l'aveva seguita. In fondo al bosco, lontano, molto lontano, si sentiva la voce del suo padrone. Gridava: — Akira! — con quanto fiato aveva nei polmoni. Ma ormai Akira era sordo a quella voce.

Alcuni chilometri dopo, nei pressi di una grande cascata, Luna d'Argento (questo era il suo nome) si era fermata. Stava perfettamente immobile, solo la coda ondeggiava nell'aria come per dire: «Avvicinati». Akira aveva ubbidito all'istante. Con la coda e le orecchie dritte aveva fatto due passi verso di lei. Toccandosi, i loro nasi umidi avevano fatto *cic*. In quell'istante era esploso l'amore.

— Tre mesi dopo, in una grotta foderata di muschio — diceva Guendy ogni volta che raccontava a Rick la storia dei suoi genitori — siamo nati i miei fratelli ed io.

Rick amava ascoltare questa storia e non c'era sera d'inverno che, nel tepore della tana, non chiedesse a Guendy di ripetergliela. — Via, non sei stufo? — gli diceva lei. — L'hai già sentita mille volte! — Ma Rick non era mai stufo. Accoccolato vicino al corpo caldo della madre, voleva sentirla ancora una volta.

— E perché siete nati? — chiedeva sempre, alla fine.

— Cucciolo — rispondeva Guendy arrossendo sotto la pelliccia — perché loro due si amavano.

— E perché si amavano?

— Via, è tardi, devi andare a dormire — rispondeva allora Guendy, spingendolo con il muso verso il letto di foglie. Rick si infilava sotto e mentre Guendy gli rimboccava le coperte con le zampe, chiedeva un'altra volta: — E perché si amavano?

— Se ti dico perché, dormi? — domandava Guendy.

— Oh sí, mamma — rispondeva Rick.

— Si amavano perché erano fatti l'uno per l'altro.

— E noi? — chiedeva a quel punto Rick. — Anche noi siamo fatti l'uno per l'altra?

— Certo, tesoro — rispondeva Guendy dandogli il bacio della buonanotte. — Siamo fatti l'uno per l'altra.

— E non mi lascerai mai?

— Mai, tesoro.

— Mai mai mai?

— Parola di lupo — rispondeva Guendy sdraiandosi al suo fianco. — Mai e poi mai.

A quel punto erano tutti e due sotto le foglie e nella tana scendeva il silenzio. Ma era un silenzio breve, perché appena Guendy chiudeva gli occhi, Rick riprendeva.

— Mamma — diceva con voce implorante — e adesso mi racconti di quando sono nato io?

Guendy sapeva benissimo che ai cuccioli e ai bambini non bisogna mai dire bugie, cosí, ogni volta rispondeva: — Sai bene che non ti ho fatto io!

— Oh, mamma, non importa! Raccontami di quando mi hai trovato.

Allora Guendy riapriva gli occhi e nel buio della tana, con voce bassa e paziente, gli raccontava un'altra volta la sua storia.

Era successo tutto in una notte di ottobre, l'aria profumava di terra bagnata e la rugiada autunnale copriva i prati e le panchine. Il giorno prima al parco era venuta molta gente. I cassonetti della spazzatura traboccavano di rifiuti. Guendy aveva molta fame e si sentiva triste. Forse aveva molta fame perché si sentiva triste

— Perché eri triste? — la interrompeva a quel punto Rick da sotto le foglie.

Guendy sospirava. — Ero triste perché non potevo avere i cuccioli. Nessuna mezza lupa può avere i cuccioli.

— E allora?

— E allora, dopo aver mangiato otto avanzi di pizzette, sei mezzi panini di prosciutto, due supplí interi e una porzione di lasagne, mi sono accorta che avevo ancora fame. Cosí ho deciso di andare a esplorare l'enorme cassonetto vicino all'ingresso principale. È un posto molto pericoloso, quello, perché è facile essere visti, ma ero cosí triste e affamata che non mi importava di rischiare.

— E allora mi hai visto?

— Non proprio. Ho visto solo una grande scatola di cartone che mandava odore di carne, cosí ho pensato che dentro ci fosse un arrosto. Un arrosto o qualcosa del genere...

— E invece c'ero io...

— Già, c'eri tu... Un cucciolo d'uomo invece che un arrosto!

— E cosa hai fatto?

— Beh, quello che fanno tutti i cani lupi. Ci ho messo il naso sopra e ho fatto *snuff snuff*...

— E io?

— Tu mi hai preso il naso e l'hai schiacciato come un clacson: *beeep*...

— E ti ho fatto male, mamma?

— No, tesoro. Avevi le mani piccole e rosa come quelle di un topo...

— E poi?

— Poi mi sono guardata intorno. Ho visto che non c'era nessun uomo. Né un papà né una mamma, insomma niente che ti riguardasse. Allora mi sono seduta, ho fatto un grosso respiro e mi sono detta: — Wow Guendy, questa è la tua buona stella. A quel punto tu ti sei messo a piangere e...

— E... volevi mangiarmi?

— Per l'emozione mi era passato l'appetito...

— E allora?

— Allora ti ho preso con i denti per il pigiamino, ti ho sollevato piano piano e ti ho portato a vivere qui, nel Cerchio Magico...

— E poi?

— Poi basta. Dormi, tesoro — concludeva a quel punto Guendy.

Dopo un paio di minuti, con la voce già affievolita dal sonno, Rick chiedeva: — Mammy... ma un giorno, prima o poi, crescerà anche a me la pelliccia?

Il Cerchio Magico

Il Cerchio Magico era un bosco all'interno del parco di una grande città. Il parco si chiamava Villa Gioiosa e aveva lunghi viali con panchine, fontane e anche chioschi dove si vendevano gelati e salsicce. Quando il tempo era bello ci andava tantissima gente, gente che correva o che andava in bicicletta, gente che stava seduta sulle panchine, che parlava o che giocava a palla.

Tra tutti quelli che frequentavano il parco, però, non ce n'era uno che avesse il coraggio di avventurarsi nel bosco. Molti anni prima, infatti, un giardiniere un po' distratto aveva varcato quell'invisibile confine e non era più tornato indietro. Da quel giorno, tutt'intorno al Cerchio Magico erano stati messi dei cartelli con su scritto PERICOLO DI MORTE. Sotto, per scoraggiare i più impavidi, c'era disegnato un teschio con due tibie incrociate. Le mamme con i bambini evitavano di passarci vicino e chi proprio era costretto a farlo, lo faceva con passo veloce.

In mezzo al Cerchio Magico c'era un grande lago, un lago dalle acque cupe e immobili. Con il tempo molta gente si era convinta che proprio lí si celasse il Mostro Divora-Uomini. Alcuni sostenevano di aver sentito, al crepuscolo, urla spaventose. Secondo altri, invece, nelle notti di luna piena dalle sue acque spuntava una coda di squame viola lunga piú di venti metri. Una volta una televisione locale aveva persino invitato un famoso zoologo a parlare sull'argomento e lo zoologo, invece di rassicurare i telespettatori, aveva detto che secondo lui era possibilissimo che là dentro abitasse un mostro. In fondo, se c'era un mostro nel lago di Lochness, perché non poteva essercene uno nel lago di Villa Gioiosa?

In realtà, a parte una coppia di vecchie tartarughe e alcune centinaia di pesci rossi, nel lago del parco non viveva nessuno. Tutt'intorno, però, abitavano moltissimi animali. C'erano scoiattoli e germani reali, volpi e gabbiani, criceti, porcellini d'India e gatti. Alcuni erano nati là e ci vivevano da sempre, mentre altri vi si erano rifugiati per scampare ai maltrattamenti degli uomini. Tra questi c'era Guendy, la lupa solitaria, con Rick, il suo cucciolo nudo. E Ursula, la vecchia scimpanzé, che viveva sull'albero piú alto del Cerchio Magico.

Ursula era venuta al mondo in una foresta dell'Africa centrale. Proprio lí, un giorno lontano, era stata rapita da alcuni scienziati. Aveva vissuto per un po' di tempo in un laboratorio, poi era stata messa su un razzo e mandata in orbita. Una volta lassú, invece di esplodere con tutto il razzo, come era in programma, aveva premuto un bottone ed era stata espulsa con il paracadute. Dopo aver attraversato a velocità supersonica tutti gli strati dell'atmosfera, era atterrata proprio nel bel mezzo del Cerchio Magico. Era stata quindi lei la prima abitante di quel luogo. Per il fatto di essere la piú vecchia e di aver vissuto a lungo con gli uomini – ma soprattutto per essere andata in orbita fin quasi a toccare le stelle – era considerata da tutti la piú saggia.

A Rick piaceva moltissimo ascoltare le sue storie Spesso, nelle ore piú calde del pomeriggio, quando tutti gli altri dormivano la raggiungeva sul ramo piú alto dell'ippocastano. Ursula aveva una risposta per ogni domanda. E lui non si stancava mai di fargliele.

— Perché con te sto cosí bene? — le aveva chiesto un giorno.

Ursula aveva sorriso, poi aveva messo la sua mano aperta vicina a quella di Rick.

— Vedi? — aveva detto. — È perché siamo quasi uguali.

Rick aveva guardato le due mani senza capire.

— Perché siamo quasi uguali? — aveva ripetuto.

— Non lo capisci? Osserva i nostri pollici...

— Non lo so — aveva risposto Rick scotendo la testa.

— È semplice. Siamo quasi uguali perché possiamo succhiarci il pollice prima di addormentarci, mentre le volpi, ad esempio, non possono farlo.

— Allora siamo fatti l'uno per l'altra! — aveva esclamato Rick, felice.

— No no no no, cucciolo! Non facciamo confusione.

Si è fatti l'uno per l'altra quando ci si ama. E noi siamo soltanto amici.

Rick non aveva mai sentito quella parola.

— Amici? — aveva domandato. — E cosa vuol dire amici?

— Amici vuol dire questo, che ci piace stare su un ramo a chiacchierare e poi...

— E poi?

— E poi vuol dire che se un giorno tu sarai in pericolo, io ti aiuterò. E tu farai la stessa cosa, se in pericolo sarò io...

Chiuso nella sua stanza con le sbarre alle finestre, Rick non sapeva far altro che ripensare agli anni trascorsi al Cerchio Magico. Da quanto tempo si trovava in quella specie di prigione? Da una settimana, da un mese, da un anno? Che importanza aveva? Ormai il suo cuore era diventato piccolo e secco come una noce rimasta troppo a lungo nel guscio. A parte una ciotola con dell'acqua e un materasso buttato per terra, nella stanza non c'era nient'altro. Una volta al giorno una mano grassoccia e nuda apriva la porta e buttava dentro qualcosa da mangiare.

Al tempo in cui viveva ancora al Cerchio Magico, Rick amava molto spiare gli esseri umani. Si nascondeva tra le fronde di un cespuglio e trascorreva ore intere a guardarli. Erano buffi. Guendy lo sgridava sempre.

— Non sta bene — gli diceva. — È pericoloso. Non vuoi mica diventare loro?

— Oh, mammy... — rispondeva lui allora, sprofondando il viso nella sua pelliccia. — Ma non è possibile. Io sono il tuo cucciolo!

Adesso, disteso sul pavimento freddo della stanza, sentiva il suo odore come se fosse stata lí. — Mamma Guendy... — mormorò piano e, dicendo il suo nome, sentí gli occhi diventare umidi.

Come avrebbe potuto immaginare che un giorno tutto sarebbe finito? Perché né Ursula né Guendy né nessuno degli altri animali gli aveva mai detto che, da un momento all'altro, la sua vita sarebbe cambiata?

Non lo sapevano neanche loro?

Un pomeriggio, su una delle panchine del parco, aveva visto un giovanotto con il viso chino. Si asciugava gli occhi con il dorso delle mani e sospirando ripeteva: — Oh, come sono triste... come sono triste...

Fino a quel giorno Rick non aveva mai visto nessuno comportarsi in quel modo, né Guendy, né Ursula, né nessun altro abitante del cerchio. La sera Rick, per l'agitazione, non era riuscito a prendere sonno. Il mattino dopo, alle prime luci del sole, era corso da Ursula.

— Cos'è triste? — le aveva chiesto, ancora prima di mettersi seduto sul ramo.

— Che domandona-ona — aveva risposto Ursula. — E perché mai lo vuoi sapere?

— Perché l'ha detto un uomo.

Ursula aveva fatto un gesto con la mano, come per scacciare una mosca.

— Lascia perdere, cucciolo nudo. Cose del genere non ti riguardano.

— Ma tu sei mai stata triste?

Un'ombra era passata sul volto di Ursula.

— Certo, un giorno sono stata molto triste. Anche tua madre Guendy è stata triste, molto triste. Tutti noi siamo stati tristi, prima di arrivare al Cerchio Magico.

— Perché eravate tristi?

— Perché non eravamo liberi, c'era sempre qualcuno che ci ordinava cosa fare.

— Perché io non ero triste?

— Perché tu eri troppo piccolo. Sei arrivato qui che non eri piú grande di un casco di banane. Magari eri triste, ma non te lo ricordi.

— E perché qui non siete piú tristi?

— Perché qui è il Cerchio Magico!

— Nel parco non è la stessa cosa?

— No, l'hai visto da te. Lí è il regno degli uomini. Gli uomini sono spesso tristi.

— E perché qui è il Cerchio Magico? — aveva domandato Rick che, fino a quel momento, non si era interrogato su quello strano nome.

— Perché, perché, perché... Uffa! Mi sembri una rana innamorata, non fai altro che dire *croac* perché? *croac* perché?

— E perché dico sempre perché?

— Perché sei un cucciolo nudo.

— Il Cerchio Magico, perché?

— Possibile che tua madre non ti abbia mai detto niente?

— Non gliel'ho mai chiesto.

Ursula aveva fatto un lungo sospiro. — È una storia lunga — aveva detto, e dopo essersi messa piú comoda sul ramo, aveva cominciato a raccontare. Cosí Rick era venuto a sapere che il Cerchio Magico era un luogo speciale in cui tutte le creature vivevano serene e in armonia. Non c'era né dolore né disperazione. Persino i gatti e i topi erano gentili tra loro. Chi viveva al suo interno aveva il dono di poter comprendere tutti i linguaggi del mondo.

— Se vivessimo fuori — aveva detto un giorno Ursula — per te io sarei soltanto una scimmia e tu per me saresti soltanto un cucciolo nudo. Staremmo seduti uno di fronte all'altra a guardarci, senza capire niente. Non si capirebbero gli scoiattoli con i gatti, né i gabbiani con i germani. E quando non ci si capisce è una brutta cosa. Prima o poi si finisce per litigare e da litigare a sbranarsi il passo è davvero breve.

Ursula aveva fatto un gran sospiro. — Il perché e il per come la gente preferisca sbranarsi invece di stare distesa a prendere il sole e a grattarsi la pancia — aveva

14

detto Ursula — io non lo so proprio. So altre cose, però, e se non sei stufo di ascoltarmi te le dico.

— Oh no, non sono stufo — aveva risposto subito Rick e cosí Ursula, pulendosi con noncuranza le unghie, aveva continuato il racconto.

— Come forse sai — aveva esordito Ursula, a cui piaceva molto vantarsi delle sue avventure strabilianti — per me il cielo è come per te l'erba davanti alla tua tana, lo conosco palmo a palmo e non mi sfugge nulla di ciò che accade in alto. Un giorno, quando ero giovane, a bordo di un razzo l'ho attraversato da parte a parte, come un coltello che fende una noce di cocco. All'inizio avevo un po' di paura, appena un po', ma ce l'avevo. Volare lassú, caro mio, è tutta un'altra cosa che volare da un albero all'altro, o da un albero a una liana. Ho avuto appena un po' di paura finché il razzo ha rallentato la sua corsa, andava cosí piano che sembrava fermo. Allora mi sono fatta coraggio, ho messo il muso contro il vetro e ho guardato fuori.

— E cosa c'era? — domandò Rick trattenendo il fiato.

— C'erano le stelle. Era tutto buio e le stelle brillavano come brillano di notte i lampioni del parco. C'erano le loro fiamme e tutto intorno un silenzio impressionante.

— Avevi paura?

— No, cucciolo, era tutto cosí bello che non c'era spazio per la paura. Guardavo fuori e non credevo ai miei occhi. Ho persino pensato: se anche adesso tutto finisce è stato bello lo stesso. E proprio appena l'ho pensato è successo l'insuccessibile.

— L'insuccessibile?

— Già, proprio cosí: nel silenzio assoluto e profondo una voce ha cominciato a parlare.

— E chi era? — chiese Rick emozionato.

— Non te lo immagini? — domandò Ursula. — Erano le stelle, le stelle lassú mi stavano parlando.

— Parlavano? Parlavano come? Con la bocca?

— No, cucciolo, le stelle non hanno la bocca, né gli occhi, né le gambe, né il naso. Le stelle parlano come parlano i fiori, i fiori e gli alberi. Le stelle, i fiori e gli alberi parlano con vibrazioni dell'aria, lo fanno persino i sassi quando ne hanno voglia.

— E tu le capivi?

— Certo che le capivo. Le capivo come capisco le palme, gli ibischi e i fiori di banana.

— E perché a me i fiori non dicono niente? — chiese Rick, deluso.

— Ovvio, cucciolo. Perché sei troppo giovane. Anch'io alla tua età non sentivo niente, pensavo a giocare e basta.

— E le stelle cosa ti hanno detto?

Ursula sospirò profondamente. — Oh, mi hanno detto un fantastramilione di cose, ma...

— Ma?

— Ma ho promesso di non dirle a nessuno.

— Neanche a me? Neanche una?

Ursula sorrise. — Beh, per te posso fare uno strappo. Ti dirò un segreto segretissimo.

Il racconto era stato cosí lungo che, nel frattempo, attorno a Ursula e a Rick era scesa la sera. Il parco aveva chiuso i cancelli, non si sentivano piú le radio e gli schiamazzi degli umani. Dal folto dell'erba si levava il canto dei grilli, mentre nello stagno tre o quattro rane facevano a gara a cantare. Dal ramo su cui erano seduti, oltre le cime degli altri alberi, si intravedeva uno spicchio di luna. Era sottile e giallo e saliva lentamente verso la parte piú alta del cielo. Tutt'intorno, a migliaia, c'erano le stelle.

Ursula afferrò con la sua mano pelosa e forte quella piccola e nuda di Rick. — Tira su l'indice — gli bisbigliò in un orecchio e appena Rick ebbe ubbidito, glielo diresse verso un punto del cielo dove brillava una grande stella.

— Il segreto è questo — disse allora Ursula. — Le stelle cadono.

— Cadono? Cadono dove? — chiese Rick spaventato.

— Le stelle cadono dove c'è un desiderio.

— E come fanno a cadere dove c'è un desiderio?

— Oh, è semplicissimo. Basta guardarle mentre cadono e pensare alla cosa che si desidera.

— Ma... e il Cerchio Magico?

— Non ci arrivi da solo?

Rick scosse il capo. Di quella storia capiva sempre meno.

— Il Cerchio Magico è il luogo in cui un giorno è caduta una stella.

— Vuoi dire che qui è caduta una stella?

— Già, proprio cosí. Un giorno, anzi, una notte, tanti tanti anni fa, qui è caduta una stella. Si chiamava Alzebarat ed è scesa qui perché qualcuno, mentre lei cadeva, ha desiderato vivere in armonia con il mondo.

— Ma la stella non c'è piú?

— Certo che non c'è piú. Le stelle cadute si disintegrano, diventano una specie di polvere. La polvere va tutto intorno, ma non è una polvere normale, da cose sporche. La polvere delle stelle è magica, luccica e vibra senza mai fermarsi e si posa in terra sempre nella stessa forma, la forma del cerchio.

— Il Cerchio Magico! — esclamò Rick.

Ursula annuí gravemente. — Già, proprio cosí, cucciolo, il cerchio dove noi viviamo.

Ascoltando le parole di Ursula, Rick all'improvviso si era ricordato di una strana cosa che aveva visto in una notte di luna piena.

Era un cerchio di polverina luminosa e vibrava sospeso nell'aria.

— L'ho visto! — strillò allora improvvisamente. — L'ho visto, ho visto il Cerchio Magico! Era una notte di luna piena e...

— Suonava?

— Sí, suonava e...

— E quando è venuta l'alba è scomparso?

— Sí...

— Allora era lui — sentenziò Ursula. — Compare una volta al mese – tutti i mesi – nelle notti di luna piena, per rinnovare la magia. Ogni volta un po' di polvere cade al suolo e rinforza i confini.

— E perché non c'è sempre?

A quella domanda Ursula divenne pensierosa. Prima di rispondere si grattò un po' il mento.

— Beh — disse poi — vedi, una volta c'era sempre. Brillava tutte le notti dal tramonto all'alba. Poi, ad un certo punto ha cominciato a brillare meno, brillava un giorno sí e uno no, e adesso...

— E adesso? — domandò Rick.

Ursula aveva scosso il capo. Sul suo viso solitamente allegro era sceso un velo di tristezza. — Non lo so, cucciolo nudo — aveva detto senza guardare Rick negli occhi. — Non capisco cosa sta succedendo...

La voce di Rick cambiò tono. Qualcosa gli tremava in fondo alla gola e faceva tremare anche le sue parole. — Vuoi dire... vuoi dire... che si sta per spegnere?

Ursula, a quel punto, aveva afferrato delicatamente Rick per le spalle e aveva cominciato a spingerlo verso il tronco dell'albero.

— Devo andare via? — aveva chiesto Rick.

— È tardi, cucciolo — rispose Ursula. — Guendy sarà preoccupata.

Rick obbedí e iniziò a scendere dal tronco. Quand'era pressappoco a metà gridò verso l'alto: — E cosa succede se si spegne?!

Ma da lassú non rispose nessuno, Ursula si era sdraiata sul tronco, dormiva già. O faceva finta.

Nella settimana seguente il sonno di Rick non era stato tranquillo e profondo come una volta. Appena chiudeva gli occhi cominciava a muoversi, buttava le foglie all'aria, tirava calci e pugni, parlava da solo. Una notte aveva lanciato un grido cosí forte che persino Guendy si era svegliata.

— Rick, cosa succede? — gli aveva chiesto, sfiorandogli con il naso umido la fronte. — Ti senti poco bene? — La voce di Guendy era la voce di una mamma in ansia. I suoi occhi inquieti scintillavano nell'oscurità della tana. Cosa stava succedendo al suo bambino? Perché stava seduto sul letto senza risponderle, con lo sguardo fisso nel vuoto?

Da quando stava chiuso nella stanza Rick aveva cercato tante volte di ricordarsi cosa avesse sognato quella notte. Aveva forse sognato tutto quello che sarebbe successo dopo? Per quanto si sforzasse non riusciva a ricordarselo.

Ricordava benissimo, invece, che qualche settimana dopo quella notte, all'improvviso e senza nessun motivo, era scoppiato a piangere.

Lui e Guendy avevano da poco finito di mangiare e stavano tranquillamente distesi davanti alla tana. Guendy gli aveva detto: — Perché non vai sul prato a inseguire un po' le cavallette? — E lui, invece di andare, era scoppiato in singhiozzi. Non gli era mai successa una cosa del genere. Aveva già pianto, certo, quando aveva messo la mano su un pezzo di vetro oppure quando, correndo, si era storto una caviglia. Ma il pianto di quella sera era stato qualcosa di ben diverso. Era un po' come se avesse mangiato una nuvola. Quella nuvola grigia e pesante gli stava sullo stomaco già da diversi giorni. Non aveva voglia di giocare né di ridere né di saltare. Poi, quando la mamma gli aveva fatto quella domanda, la nuvola tutto a un tratto si era mossa. Dallo stomaco era salita alla testa, lí era esplosa come un temporale e le lacrime accompagnate dai singhiozzi avevano cominciato a scendere dagli occhi.

— Cosa c'è? — gli aveva chiesto allora la mamma posando il muso contro la sua guancia.

— C'è che tutto finisce! — aveva gridato lui con quanta forza aveva in corpo.

— Tutto cosa?

— Tutto... tutto...

— Te l'ha detto qualche uomo? — aveva chiesto Guendy, sospettosa.

— No, l'ha detto Ursula.

— Oh, amore, ma Ursula, lo sai, è quasi un uomo e dice un mucchio di stupidaggini.

— No, Ursula ha ragione.

— Perché ha ragione?

— Perché il Cerchio Magico scompare.

Guendy si era rabbuiata. — Che ne sai di queste cose?

— aveva chiesto con voce dura. Poi si era addolcita, gli si era seduta accanto e aveva detto: — Parliamo un po', Rick. Vuoi?

Verso l'alba si era addormentato abbracciato a lei, come quand'era piccolo. Guendy l'aveva rassicurato.

Il Cerchio Magico stava lí da un'infinità di anni, perché mai tutt'a un tratto avrebbe dovuto scomparire? E se anche, per un caso impossibile, il Cerchio Magico fosse scomparso, c'era sempre una cosa che non poteva scomparire e quella cosa era il loro amore.

Quando due esseri si vogliono bene, aveva detto Guendy, è come se ci fosse un piccolo Cerchio Magico, un cerchio che sta intorno e si sposta con loro e quel cerchio è piú forte di qualsiasi cosa. Non si consuma e non si spezza. Nessuno può attaccarlo dall'esterno, nessuno può romperlo.

— Davvero nessuno? — aveva chiesto allora Rick, con gli occhi spalancati.

— Davvero nessuno.

— Niente e nessuno?

— Niente e nessuno, parola di lupo.

Rassicurato da quelle parole, Rick aveva preso sonno. Nei giorni seguenti era tornato ad essere il cucciolo allegro e spensierato di sempre.

Solo adesso, chiuso in quella stanza ghiacciata, si rendeva conto di aver avuto ragione lui.

Un giorno, all'improvviso, il Cerchio Magico era scomparso. Non c'era piú Guendy con lui, né Ursula né nessun altro degli amici con cui era cresciuto. Da cucciolo nudo era diventato un piccolo uomo vestito con la pelliccia di stoffa. Ora poteva anche lui stare seduto con la testa tra le mani, poteva dire: «Come sono triste» mentre le lacrime veloci e calde gli scendevano lungo le guance.

Basta cacca sui balconi

Ma cos'era successo?

Come aveva potuto sparire il Cerchio Magico? Come avevano potuto sparire tutti i suoi abitanti? E perché Rick, invece di sparire assieme a loro, si trovava in una stanza bianca con le sbarre alla finestra e una ciotola vuota davanti?

Chi aveva distrutto il Cerchio? E soprattutto perché?

La faccenda era cominciata almeno un mese prima. Sulle pagine di un giornale. Nella cronaca cittadina era uscita una grande foto del Cerchio Magico con sotto un titolo a caratteri cubitali:

GLI SCANDALI DELLA CITTÀ
Dovranno esserci altre vittime oltre al giardiniere?

Nell'articolo il cronista lamentava la pericolosità di quella zona del parco abbandonata da anni. Da quel giorno in poi non c'era stata una sola mattina in cui sul giornale non ci fossero notizie o testimonianze su Villa Gioiosa. Una volta qualcuno raccontava di aver visto uscire dalla boscaglia qualcosa di informe e strisciante, qualcosa che poteva essere una vipera ma anche un drago, e di essersi messo in salvo solo grazie alla velocità delle proprie gambe. Il giorno seguente, qualcuno che correva in mutande all'alba era stato inseguito da un branco di lupi. Erano piú di cento, con il pelo viola, e ululavano in modo tremendo. Poi una signora anziana aveva visto uscire dal Cerchio Magico dei miasmi verdi. Quei miasmi, secondo lei, indicavano con certezza che là dentro si celava l'ingresso dell'inferno. Una settimana dopo qualcun altro, poco prima del crepuscolo, aveva visto delle teste mozzate volteggiare sui prati, cantando le arie dall'*Aida*.

Per farla breve, in meno di un mese Villa Gioiosa e il Cerchio Magico erano diventati il terrore di tutti i cittadini. Sebbene fosse settembre e il sole splendesse quasi ogni giorno, nessuno osava piú varcare la sua soglia. Qua e là si erano formati gruppi di cittadini che chiedevano ordine e pulizia. Scrivevano lettere ai giornali, rilasciavano interviste alla radio e alla televisione e tutti i pomeriggi, con grandi striscioni colorati, marciavano dall'ingresso del parco al Municipio.

A capo del movimento c'era un signore tutto lustro, con le gambe corte, due doppimenti e tre pance. Il suo nome era Ulderico Triponzo. Era lui il piú agitato di tutti e, proprio per sua iniziativa, un giorno era stata scritta una petizione per chiedere che il parco venisse raso al suolo. Con le tre pance che tremolavano all'unisono aveva salito le scale di marmo del Municipio per consegnare al Sindaco la richiesta dei cittadini. Il Sindaco, un omino pauroso, piccolo e balbuziente, dopo aver dato una veloce occhiata al foglio aveva detto: — Fa-fa-fa-remo qua-qua-qual-cosa qua-qua-qua-quanto pri-prima.

All'uscita dal palazzo Triponzo era stato accolto da un applauso trionfale. I cittadini amavano la sua capacità di ottenere le cose e da piú parti si mormorava che sarebbe stato giusto eleggerlo Sindaco.

La prima ad accorgersi che stava accadendo qualcosa di grave era stata Ursula. Il fracasso delle ruspe e dei cin-

24

golati l'aveva quasi buttata giú dall'ippocastano. Senza perdere tempo, saltando di ramo in ramo, aveva raggiunto la cima dell'albero piú alto. Le prime luci dell'alba rischiaravano uno spettacolo terrificante. Al di là dei cancelli ancora chiusi c'era un uomo molto basso e molto grasso, Ulderico Triponzo in persona, il quale, in piedi su un rullo compressore, arringava un esercito di casalinghe, operai, impiegati e salumieri armati fino ai denti. A chiudere il sinistro corteo erano schierati sei bulldozer, dieci betoniere, tre rulli compressori e un centinaio di stradini e asfaltatori.

— Amici! — sbraitava Triponzo da lassú. — Amati concittadini! Siamo stati qui convocati, in questa splendida mattina di ottobre, per compiere qualcosa di importante. Qualcosa che, oso dire, lascerà il nome della nostra città scritto a caratteri d'oro nell'albo della storia. Per tanti anni, oserei dire per millenni, l'uomo è stato oppresso e perseguitato dall'arroganza della natura.

La folla assiepata ai piedi del rullo compressore lo ascoltava rapita.

— Chi di noi — proseguí Triponzo, gesticolando vivacemente — non ha dovuto subire l'oltraggio di un morso di zanzara? E quante vite sono state spezzate dall'allergia al polline dei fiori? E gli uccellini? Siamo o no stufi di essere svegliati ogni mattina dal loro indegno fracasso?

Ci fu un grande applauso. Qualcuno gridò: — Giusto! Basta con i cinguettii senza controllo!

— Non vorreste un mondo senza topi, senza ragni, senza api né vespe? Senza piccioni che sporcano i balconi?

— Síííí! Lo vogliamo — gridò la folla in estasi.

— E ancora, cari concittadini, pensate ai pipistrelli! Pensate ai pipistrelli e riflettete. Riflettete se è giusto che alle soglie del Duemila, mentre siamo già padroni della terra e del cosmo, quelle orride e insensate creature vaghino ancora tra di noi per spaventarci. È giusto, dico, che a causa loro le nostre notti siano piene di terrore? L'Uomo! — esclamò Triponzo, con i doppimenti che gli vibravano come una mozzarella di bufala. — L'Uomo è l'unico imperatore del mondo. La sua intelligenza non ha uguali. Computer, automobili, frullatori, tutto ciò che esiste è frutto della sua grandezza. E allora, cari amici, allora, dico, non è forse venuto il momento di trasformare il mondo a sua – a nostra – immagine e somiglianza?! Pensate ai vostri tinelli, alle vostre stanze da bagno. Sono lindi, lucidi, disinfettati! Cosí deve essere, cosí vogliamo che sia il resto del cosmooooo!

A queste parole seguí un applauso frenetico. La folla si era surriscaldata e non vedeva l'ora di cominciare il grande progetto di pulizia. Intanto il sole aveva fatto il suo ingresso in cielo. Era arrivata l'ora X. Triponzo si infilò il casco in testa e gridò: — A voi, miei prodi! — facendo un gesto rapido e deciso, da condottiero.

I cancelli del parco cedettero come burro sotto le ruote cingolate dei bulldozer. La grande operazione "Mondo pulito" ebbe cosí inizio.

Triponzo entrò per primo, sul bulldozer. I cittadini eccitati lo seguirono intonando il loro inno di guerra:

> *Bruciamo gli alberi, bruciamo l'erba,*
> *bruciamo i fiori e i loro orridi odori!*
> *Per il sonno dei nostri bambini*
> *degli uccellini facciamo spiedini!*

Prima di attaccare il ritornello ad un cenno di Triponzo, imbracciarono i fucili.

> *Né starnutiii, né becconiii,*
> *basta cacca sui balconiiiii!*

A quel punto, Ursula si era già precipitata giú dall'albero.

26

— Sveglia! Sveglia tutti! — strepitava, battendo due bastoni tra loro. — Allarme! Arriva il nemico! Allarme! Allarme!

Tutti si misero a correre disordinatamente. Chi aveva le ali spiccò il volo, chi aveva le branchie si tuffò in acqua, chi poteva arrampicarsi, salí in alto.

— Cosa c'è, mamma? — domandò Rick.

Guendy levò il muso, inspirò due o tre volte l'aria. Aveva un'espressione molto preoccupata.

— Ci sono gli uomini — disse gravemente.

— Ma ci sono sempre gli uomini, nel parco — rispose Rick. Guendy annusò di nuovo. *Snuff snuff.* — Questi sono diversi — mormorò piano. — Hanno un odore acre. L'odore dell'odio.

— L'odio? Cos'è l'odio?

— L'odio è quando non ci si vuole bene.

Rick la guardava dritta negli occhi, senza riuscire a capire.

In quel momento Guendy si pentí di non aver detto tante cose al suo bambino. Si era illusa, aveva voluto illudersi che il Cerchio Magico sarebbe durato per sempre. A un tratto, invece, aveva capito che il Cerchio Magico non c'era piú. Era finito come finiscono tutte le cose del mondo.

— Rick — disse allora — abbracciami forte.

Rick obbedí e tuffò il viso nella pelliccia folta e morbida del suo collo.

Il canto degli uomini e il rumore delle ruspe erano sempre piú vicini.

Guendy gli bisbigliò in un orecchio: — Ricordati di quello che ti ho detto un giorno. Anche se tutto finisce, l'amore non finisce mai.

In quello stesso istante si sentí un boato. Al boato seguí un crepitio. Nel folto del bosco si aprí uno squarcio. Dallo squarcio, come un fiume in piena, entrarono le truppe con le ruspe.

Dopo meno di un secondo le fiamme cominciarono a lambire il bosco. Bruciavano i cespugli e l'erba. Bruciavano i tronchi.

Il fumo era cosí denso che non si vedeva quasi niente. Guendy e Rick, come ubriachi, correvano qua e là cercando un posto dove mettersi in salvo. Tutt'a un tratto, tra la nebbia, comparvero due ombre scure.

— Un lupo! Spara! — gridò una voce.

— Ferma! C'è un bambino! — rispose l'altra.

Rick sentiva accanto a sé il respiro affannoso di Guendy. Stavano immobili, stretti l'uno all'altra. Guendy gli aveva sfiorato la mano con il naso umido.

— Scappa, Rick — aveva sussurrato. — Vai via, mettiti in salvo!

In quel preciso istante nell'aria era echeggiato uno sparo.

— Mammy! — aveva gridato Rick. Guendy era già a terra. Il suo petto si sollevava rapidamente, mentre una macchia rossa si allargava sulla pelliccia del collo. Con gli occhi già velati guardò Rick, il suo cucciolo.

— Ricorda... — disse con un filo di voce. — Ricordati del Cerchio Ma... — A quel punto la voce le mancò. Per un secondo i suoi occhi brillarono di una luce straordinariamente intensa. Intensa e dolce. Poi un velo opaco li coprí e la sua testa cadde sulle foglie rossastre del suolo.

Allora Rick urlò, urlò come non aveva mai urlato nella sua vita. In quel preciso istante seppe dov'era il suo cuore. Stava nel petto, a sinistra in alto. Stava lí ed era una pietra. Una pietra che aveva preso fuoco.

I due uomini si stavano avvicinando.

Rick si voltò verso di loro. Non poteva scappare. Era un lupo, il piú feroce dei lupi.

Mirò dritto alle loro gole, sfoderando i suoi denti da latte.

Il bambino selvaggio

La voce che all'interno del parco era stato trovato un bambino selvatico si sparse subito. Le radio, le televisioni e i giornali avevano dato la notizia con gran clamore, e il Sindaco aveva invitato tutti gli abitanti ad andare a vedere il piccolo selvaggio. Non era escluso, infatti, che potesse essere uno dei tanti bambini scomparsi misteriosamente negli ultimi anni. Nessuno, però, l'aveva riconosciuto. Tutti gli passavano davanti turandosi il naso e scuotendo la testa. Chi avrebbe avuto il coraggio di portarsi a casa quel piccolo mostro?

L'unico a farsi avanti fu Triponzo. Lo fece in una domenica piuttosto affollata, dopo aver convocato giornalisti e televisioni davanti alla gabbia dove, da piú di una settimana, Rick era rinchiuso. L'elezione del nuovo Sindaco era vicina. Dichiarare davanti a tutto il paese di voler adottare quel mostriciattolo lurido e schifoso sarebbe stata la mossa vincente.

Fu cosí che, in una grigia mattina di novembre, accompagnato da un gran dispiego di fanfare e di fotografi, Rick fece il suo ingresso nella villa-prigione di Triponzo.

Quanto tempo era passato da quel giorno?

Rick ormai aveva perso il conto. I primi giorni aveva tentato di ribellarsi. Con i denti e con le unghie aveva distrutto tutto quello che poteva: la cuccia, i mobili e la carta da parati.

Non voleva stare lí, non voleva essere un bambino.

Non voleva quella stupida pelliccia di stoffa addosso.

Tutte le sere si affacciava alla finestra e fino all'alba stava ad aspettare che cadesse una stella. Se l'avesse vista le avrebbe chiesto un altro Cerchio Magico. Purtroppo, però, era inverno e le stelle stavano immobili nel cielo come fossero dipinte con la tempera.

L'idea che Ursula gli avesse mentito cominciava ad affacciarsi alla sua mente.

Che cos'era la felicità? Adesso Rick lo sapeva. Felicità era la sua vita di un tempo. Svegliarsi ogni mattina senza pensieri in testa. C'era una domanda, però, a cui non sapeva ancora rispondere. La felicità, quando finiva, finiva per sempre? La sua vita d'ora in avanti sarebbe stata sempre cosí? Sarebbe rimasto prigioniero in una stanza senza nessuno che gli tenesse caldo? Era tra quelle quattro mura che sarebbe diventato un lupo con il pelo a ciuffi, vecchio e sdentato? Oppure qualcosa poteva ancora cambiare? Guendy era morta, Ursula e tutti gli altri probabilmente avevano fatto la stessa fine. Perché i cacciatori non avevano ucciso anche lui?

Una volta aveva chiesto a Guendy dove fosse finito il nonno Akira.

— Il nonno — gli aveva detto — è andato a vivere in un posto bellissimo, un posto dove non era mai notte e l'erba era tenera e fresca in tutte le stagioni.

— Dov'è questo posto? Perché non andiamo a trovarlo? — aveva subito domandato, entusiasta.

— Cucciolo — gli aveva risposto Guendy — non aver fretta. Un giorno andremo tutti lassú, nella prateria dei lupi sempre felici.

Guendy era andata lassú? E se era lí, perché lui non poteva raggiungerla? Perché non lo chiamava? Perché l'aveva lasciato solo, quaggiú sulla Terra? Lo sconforto di Rick era davvero grande. Si sentiva piccolo, tremendamente piccolo. Piccolo e abbandonato in un mondo di persone minacciose e grandi.

Una volta Ursula gli aveva raccontato della sua prigionia nel laboratorio degli scienziati. — Se non fossi stata sicura che in cielo una stella seguiva la mia strada — gli aveva detto — me ne sarei andata nella gran foresta delle scimmie felici fin dal primo giorno.

"Qual è la mia stella?" si domandava allora Rick. "Ha gli occhi aperti e mi guarda, oppure dorme?" Nei momenti piú tristi Rick ripensava alle ultime parole di Guendy: «Dove c'è l'amore, il Cerchio Magico non finisce mai».

Era vero? E, se era vero, perché lui era tanto triste?

Allungando le mani nell'aria intorno a sé, Rick cercava di immaginare il calore della pelliccia di Guendy, il suo profumo di sole e di erba. Ma accarezzava il vuoto.

Sua Mollosa Porchezza

Mentre Rick passava le sue giornate immerso in questi tristi pensieri, Ulderico Triponzo continuava a mietere trionfali successi. In tutta la regione era ormai piú famoso delle stelle del cinema. Aveva ricevuto persino un telegramma di felicitazioni da Sua Mollosa Porchezza Pallaciccia I, proprietario supremo di ogni Super-Mega-Iper-Mercato del mondo oltreché di tutte le telecomunicazioni terrestri, acquatiche e stellari.

Mancava poco piú di un mese all'elezione del Sindaco e non c'era piú dubbio che la carica sarebbe stata di Triponzo. Per festeggiare l'avvenimento e ringraziare tutti quelli che lo avevano sostenuto, decise di dare un gran party nella sua villa-astronave.

Fu a quel punto che si ricordò di Rick.

La festa non sarebbe stata perfetta, se il mostriciattolo non fosse apparso trasformato in un bambino lindo e docile. E fu cosí che, una mattina di dicembre, Triponzo aprí la porta della stanza dove Rick era rinchiuso. Per paura della polvere e dei germi aveva affittato una tuta da astronauta. La tuta aveva un piccolo megafono e da lí, gracchiando, usciva la sua voce stridula.

— Alzati, sgorbio! — gridò entrando.

Cosí cominciò il corso intensivo che in pochi giorni avrebbe trasformato Rick in un triponzino gentile e pulito. Naturalmente Rick avrebbe potuto rifiutarsi, avrebbe potuto continuare a fare pipí sui muri e a ringhiare come gli aveva insegnato Guendy. E l'avrebbe fatto di sicuro se, vedendo Triponzo sulla porta, non si fosse ricordato di quel che un giorno gli aveva detto Ursula: «Gli uomini sono sciocchi perché si credono i piú intelligenti di tutti. Se vuoi averla vinta, fai finta di stare al loro gioco».

Cosí, per una settimana intera, Rick aveva obbedito a tutti gli ordini di Triponzo. Mangiava seduto a tavola, con coltello e forchetta, e poi si puliva la bocca con il tovagliolo invece che con la mano. Non si grattava in pubblico né si toglieva lo sporco dalle dita dei piedi. Quando qualcuno gli rivolgeva la parola non sfoderava piú i suoi denti da latte.

Due giorni prima della festa era venuto un sarto che aveva girato e rigirato Rick, misurandolo da tutte le parti. Prima di sera era arrivato un pacco. Conteneva un vestito azzurro da paggio, di seta e velluto.

Per completare l'opera, la mattina stessa del party Triponzo aveva convocato un servizio di lavaggio-cani a domicilio. Dal furgoncino era sceso un giovanotto robusto con una tuta gialla ed una valigetta in mano. Senza dire una parola aveva preso Rick, l'aveva portato nel bagno di servizio e l'aveva lavato con un potentissimo shampoo antipulci.

Nella villa-astronave, intanto, fervevano i preparativi. C'erano quattro camerieri vestiti come pinguini che andavano avanti indietro con i vassoi pieni. Già dall'alba, in cucina lavoravano tre cuoche, friggendo e impastando senza mai fermarsi. Triponzo non stava fermo un secondo. In vestaglia e ciabatte di plastica andava avanti e indietro per la casa, impartendo ordini.

Verso le sette cominciarono ad arrivare i primi ospiti.

Un cameriere li andava a prendere alla porta e annunciava il loro nome a voce alta. Rick stava in piedi con le mani dietro la schiena e sorrideva a ogni persona che en-

trava. Non capiva niente di quel che stava succedendo, ma guardava tutto con attenzione. A colpirlo di piú era il fatto che tutti gli ospiti fossero uguali identici a Ulderico. Sembravano ciliegie dello stesso albero.

Durante la cena il clima cominciò a surriscaldarsi. La gente parlava sempre piú forte, rideva in modo sguaiato, si dava gomitate nelle pance. Ogni tanto qualche signora lo guardava sorridendo e diceva a Triponzo: — Che splendido bambino!

Dopo mangiato si trasferirono tutti in salotto e Rick andò con loro. Si annoiava a morte e aveva anche un gran sonno. Cosí, in un attimo di distrazione generale, sgusciò fuori dalla porta. Non sapeva dove nascondersi. Vide una porta socchiusa e si infilò dentro, cercando un posto adatto per schiacciare un pisolino. Alla fine scelse un grande divano in mezzo alla stanza. Era abbastanza alto da permettergli di raggomitolarcisi sotto e dormire indisturbato. Chiuse gli occhi e, come sempre prima di addormentarsi, immaginò che Guendy fosse lí accanto. Vide il suo muso sorridente. Sorrideva in quel modo quando lui tornava alla tana stanco e felice, la sera. Quel sorriso gli faceva bene al cuore, gli ricordava quello che non voleva mai dimenticarsi, cioè che era un lupo e non un uomo. Essere uomini era noioso, tremendamente noioso. Pensando questo Rick si addormentò. Dormí tranquillo per piú di un'ora.

Si svegliò di soprassalto, con il cuore in gola. Cosa stava succedendo? Il pavimento, le sedie, i lampadari, tutto vibrava e ondeggiava in modo preoccupante. Una massiccia ondata di tripponi, infatti, era entrata nella stanza e si era lasciata cadere pesantemente sui divani e le poltrone.

Sopra il divano di Rick si sedette proprio l'odiato Triponzo. Lo riconobbe dalle lucide scarpe a punta color cacca di cane. Appena tutti si furono sistemati, il futuro Sindaco stappò una bottiglia di champagne.

— Un brindisi al successo del nostro universale progetto! — esclamò. Tutti allora alzarono i bicchieri e, dopo un breve silenzio accompagnato dagli schiocchi e ri-
succhi della bevuta, Triponzo si schiarí la voce e disse: —
Ed ora, cari amici, colleghiamoci con il riverito e amato
Capo dei Capi, Sua Mollosa Porchezza Pallaciccia I!

A questo nome, tutti i presenti scattarono in piedi,
mentre Rick, da sotto il divano, allungava il collo per
vedere meglio. Nel mezzo della stanza c'era un grande
cubo nero con dei piccoli tasti a lato. Sul cubo cominciarono ad apparire zig zag di tutti i colori e poi, lentamente, si delineò una sagoma enorme e indefinibile.
Rick non aveva mai visto niente di altrettanto repellente.
Sembrava una cacca gigante troppo liquida, però aveva
dei contorni definiti e si muoveva come se fosse viva.
La pelle era color vomito d'erba e cosí lucida da sembrare trasparente. Tra la testa ed il corpo, invece del collo, aveva delle borse di pelle rugosa e molla come quelle
di un rospo. La bocca sottilissima. Al posto del naso,
solo due buchi. Le orecchie erano a punta e gli occhi,
piccoli e sporgenti, acquosi e venati di rosso. Il cranio
liscio e luccicante come una palla di biliardo e le guance
simili al sedere di un porcello. Alle sue spalle si intrave-
devano decine e decine di cubi accesi, di ogni forma e
dimensione.

Appena l'immagine fu nitida, Sua Mollosa Porchezza
aprí la bocca piena di denti aguzzi e, con voce lenta e
molle, biascicò: — Beeen trovati miei fedeli seeervitoriii.

— Lunga vita a Sua Mollosa Porchezza! Hip hip urrà!
— e tutti si profusero in innumerevoli inchini.

Dai pori delle pappagorge di quell'essere immondo
uscivano, gorgogliando, tante bollicine verdi e schiumo-
se. Quel gorgoglio era l'unico rumore che si sentiva
nell'intero salone. Tutti gli ospiti trattenevano il fiato.

— Miei fiiidi — disse piano, girando per la sala gli
occhietti da maiale — vi siete mai chiesti cos'è un sooo-

gno? E la vita cooos'è? La vita è un sooogno o un sogno è la viiita?

Detto questo fece una pausa e deglutí, orgoglioso dei suoi poetici pensieri.

— Io — proseguí, appena nella sala si fu spento l'eco delle prime parole — come tutti gli eleeetti, fin dal giorno in cui ho aperto gli ooocchi non ho mai avuto nessun dubbio. La vita è un sooogno. Ognuuuno ha una vita e ogni viiita ha un sogno. E qual è il mio, il nooostro sogno? Quaaal è? — sibilò, schizzando bava intorno.

I convenuti cantilenarono in coro:

Un mondo pulito e obbediente.
Panza piena e in testa niente.

Finito l'inno si risedettero.

— Braaavi. Noi — proseguí Pallaciccia — per realizzare questo sooogno abbiamo condotto una luuunga battaglia. Una lotta che ha impegnato le nostre fooorze quası ogni giorno. Perché l'abbiamo fatto? Siamo forse paaazzi? O sappiamo che il nostro sogno è il migliore di tuuutti? Ogni vita ha un sogno, ho detto, ma cosa succederebbe se ogni vita volesse realizzare il suo sooogno? Sarebbe il caaaos, l'anarchia piú totale. Migliaia di sogni si scontrerebbero l'un l'altro come bolle di sapooone e il risultato sarebbe soltanto uno shaaampoo generale. Noi invece vogliamo qualcosa di piúúú, qualcosa di meglio, vogliamo che tutti abbiamo un sooolo sogno. Il piú giusto, il nostrooo! Svuoteremo le teste, le renderemo leggere come paaalloncini, quando le teste saranno vuote, le pance vorranno una cosa sooola, essere piene. Ogni zona verde sarà trasformata in un Super-Mega-Iper-Mercato. Le porte saranno spalancate dall'aaalba all'alba, non ci sarà un solo minuto del giorno in cui non sarà possibile compraaare qualcosa.

Sua Mollosa Porchezza deglutí e socchiuse gli occhi riducendoli a fessure.

— Sul nostro sogno — proseguí poi — si aggira però uno speeettro. Le mele marce che rischiano di contagiaaare tutte le altre.

A quel punto ci fu un attimo di silenzio e alle spalle di Sua Mollosa Porchezza si accese un grande schermo. Dopo alcune figure sfuocate comparve l'immagine di una casetta con dei fiori alle finestre e, intorno, un giardino con un grande orto. Davanti c'era una signora anziana alta e magra, che vuotava una scatoletta nella ciotola di un gatto.

— Nemico numero Uuuno — tuonò Pallaciccia dal suo trono. — La signora Cipolloni Amaaalia, fantasista in pensione. Come potete notaaare, non solo la sua casa è contornata di orridi fiori e piante allergeniche, non sooolo nutre un gatto fonte di sporco e malaaattie tra le peggiori, ma, cosa ancora piú graaave, è che sul suo teetto...

Sua Mollosa Porchezza lasciò intenzionalmente la frase in sospeso.

Nella sala molti si alzarono in piedi per osservare meglio l'immagine, poi in coro gridarono: — Manca l'antenna della televisione!

— Già — confermò Pallaciccia, gongolando. — Proooprio cosí, la Cipolloni Amaaalia si rifiuta di tenere in casa un apparecchio televisivo.

Dai presenti si levò un mormorio di disapprovazione.

— La Cipolloni, caaari amici, con la sua ottusa cocciutaggine è una mina vagaaante, una miccia accesa che rischia di incendiaaare il pagliaio. Dov'è il pagliaaaio? Vi domanderete forse voi. Non è dunque vero che tutta la città risponde ormai ai nooostri voleri? È vero, ma anche non lo è, miei prooodi. Non lo sarà mai finché tra le nostre straaade di cemento e i nostri Super-Mega-Iper-Mercati si aggireranno decine e deciiine, centinaia e migliaaaia di quei nanerottoli orreeendi, i bambini.

Nel frattempo, alle spalle di Sua Mollosa Porchezza era cambiata l'immagine. Non c'era piú l'anziana signora, ma tante facce di bambini, una dopo l'altra.

— Naturalmente — riprese Pallaciccia con tono pacato — abbiamo fatto di tuuutto per portarli nel nostro sogno. «Lasciaaate che i bambiiini vengano a noi» fin dall'inizio è stato il nostro motto. Li abbiamo irrorati di alcuni stramiliardi di ore di cartoooni animati, di stramiliardi di quiz e succulentissimi spooot pubblicitari, hanno ingoiaaato stramiliardi di tonnellate delle nostre merendiiine. Per loro abbiamo fatto di tuuutto. Eppure...

— Eppure... — ripeterono gli ospiti davanti allo schermo.

— Eppuuure... — riprese Pallaciccia. — Eppure basta un *black out* di dieci minuti, dieeeci minuuuti senza televisione perché nelle loro testoline ritorni il caaaos primigenio. Giocano a nascondiiino, corrono, saltano, s'arrampicano su per gli alberi, fanno carezze ai caaani. Insomma, per farla breve, non gliene importa piú nuuulla del Super-Mega-Iper-Mercato. Naturalmente — proseguí bonario — questo è naturale, naturaliiissimo, il loro cervellino è molle e infooorme, prossimo allo stadio bestiaaale. Per questo noi, noi che abbiamo a cuore la supremaaazia dell'essere umano, noi che da anni combattiamo senza treeegua l'arroganza della natura, ci occuperemo di loro. Faremo loro una cura radicale. Radicaaale e definitiva... — dicendo questo sua Mollosa Porchezza scoppiò in una risata agghiacciante.

Nello stesso istante, alla sua risata si sovrappose un urlo prolungato.

— Aaaahiiiiiiiiiiiiii!

La scarpa di Triponzo era piombata su una mano di Rick.

— Cosa succede?! — gridò un trippone.

— C'è una spia! — gridò un altro.

Rick si trovò la faccia da provola di Triponzo a un centimetro dal naso.

— Il maledetto sgorbio! — esclamò.

— Acchiappatelo! Torcetegli il collo!

Nella confusione generale si tuffarono tutti insieme sotto il divano, ma Rick, con la velocità di un lupo, aveva già raggiunto la finestra aperta e da lí aveva spiccato un salto verso lo spazio aperto del giardino.

Solo

In tutto quello che seguí dovette esserci lo zampino felice di qualche buona stella. Dopo esser volato fuori dalla finestra, infatti, invece di sfracellarsi sul duro cemento, Rick era atterrato su dei cespugli ornamentali di gommapiuma.

Poco lontano dall'uscita di servizio della villa c'era un furgoncino con gli sportelli aperti, pieno di piatti e tovaglie sporche.

Approfittando di un momento di distrazione dei camerieri, Rick si tuffò in un pentolone vuoto. Giusto in tempo, perché nello stesso istante sentí avvicinarsi il galoppo minaccioso di Triponzo e dei suoi soci. Il furgone, per fortuna, si era già messo in moto.

— Dove sei? — gridavano, con le voci spezzate dal fiatone. — Vieni fuori! Se vieni fuori, ti diamo un premio — dicevano, con tono fintamente gentile. Il furgone, intanto, aveva già raggiunto il cancello radiocomandato ed era uscito dalla villa.

Quando arrivò al magazzino era già notte fonda. I camerieri, sbadigliando, lasciarono tutto com'era. — Scaricheremo domani — dissero, prima di scomparire nel buio.

Appena non sentí piú le loro voci, Rick uscí fuori all'aria aperta e si guardò intorno. Il cortile era recintato da una palizzata di legno e, in men che non si dica, la scavalcò con l'agilità che gli aveva insegnato Ursula.

Posando i piedi in territorio libero, Rick non riuscí piú a trattenersi e, incurante del rischio, lanciò un lungo ululato alla luna.

Spenta l'ultima "u" nell'aria scura della notte, si stiracchiò soddisfatto. Sbadigliò due o tre volte, digrignò i denti, scrollò la pelliccia dalla coda al collo, poi imboccò un marciapiede sulla sinistra e con passo trotterellante cominciò a camminare.

Si sentiva leggero come non gli accadeva da tempo.

— Quando un lupo ha la libertà nella zampa — aveva detto Guendy — anche se è solo al mondo non ha paura di niente. Di niente e di nessuno, parola di lupo.

In realtà non sapeva dove andare né cosa gli sarebbe accaduto.

"Per prima cosa" pensò Rick, vedendosi riflesso nella vetrina di un negozio "devo togliermi di dosso questi stracci. Cosí conciato mi si può vedere anche a dieci chilometri di distanza." Detto fatto, si tolse la giacca di velluto azzurro e i pantaloni turchini. Con le unghie e con i denti strappò la camicia di seta, lanciando lontano le scarpe di vernice.

Rimasto nudo in mezzo alla strada, si guardò intorno. Fosse stato per lui sarebbe rimasto cosí, ma era piú che evidente che sarebbe stato piuttosto pericoloso. Per fortuna, vicino ad un grande cassonetto della spazzatura scorse dei sacchetti di plastica abbandonati, che sembravano pieni di stracci. Senza perdere tempo ne aprí uno e vi trovò dentro dei vestiti usati. Dopo averne scartati quattro o cinque che erano troppo piccoli o troppo grandi, trovò un paio di blue jeans e una maglietta a righe che gli stavano quasi perfetti. Non c'erano scarpe, ma Rick non se ne preoccupò affatto. Era già abbastanza dover sopportare tutto quel popò di pelliccia di stoffa. Procurarsi una prigione per le zampe sarebbe stato davvero troppo!

Camminando e camminando arrivò ad una vecchia fabbrica abbandonata. Lí trovò un barile grande e largo. Stanco per le troppe emozioni, si calò dentro e si addormentò subito. Dormí per due o tre ore di fila.

Non fu la luce del sole a svegliarlo all'improvviso, ma il rumore di un esercito in marcia che veniva dalla strada accanto. In principio, pensò che quel rumore venisse dal sogno. Soltanto quando il barile cominciò a tremare si rese conto che si trattava di un rumore vero. Allora sollevò con cautela il coperchio del bidone. Da lí, attraverso un'asse rotta della palizzata, vide la strada che passava accanto alla fabbrica abbandonata. Adesso al passo di marcia si aggiungevano le note di una canzone. La can-

zone era quella di Triponzo, ma le voci non sembravano voci di uomini. Chi mai stava cantando: «*Un mondo pulito ed obbediente, panza piena e in testa niente*»?

Per saperlo Rick non dovette attendere molto.

Dopo meno di un minuto, tra le assi sconnesse della palizzata si delineò un'interminabile fila di bambini. Marciavano in ordine regolare e compatto, alzavano le gambe rigide e battevano i piedi con forza, cantando a squarciagola senza mai riprendere fiato. Quasi tutti indossavano il pigiama e tra loro non c'era neanche un adulto.

Rick non aveva mai visto tanti bambini tutti in una volta. Sembravano un esercito e facevano paura. Uscí piano piano dal barile e si avvicinò alla palizzata per vedere meglio. Il corteo era ormai a metà della sua lunghezza. Davanti c'erano quelli piú grandi e dietro i piccoli. Nelle ultime file qualcuno stringeva ancora in mano il suo orsacchiotto di pezza.

Dove stavano andando tutti quei cuccioli d'uomo?

Perché marciavano in pigiama, in una fredda notte d'inverno? Dov'erano i loro genitori? Piú li guardava piú era preda di una sottile inquietudine. Soltanto al passaggio dell'ultimo gruppo, Rick si accorse di una cosa incredibile. Invece di avere gli occhi tondi, i bambini li avevano quadrati. Quadrati e immobili. Guardavano dritti avanti a sé come se un serpente li avesse ipnotizzati.

Rick non aveva mai visto niente di simile. Si grattò la testa, tirò su con il naso. Nel mondo degli uomini succedevano un po' troppe cose strane. Appena i bambini scomparvero in fondo al buio della strada che portava in collina, Rick rientrò nel barile.

All'alba mancavano ancora parecchie ore. "Meno male che non sono un uomo" pensò e, dopo aver fatto un grosso sospiro, si addormentò di nuovo.

La regina dei cassonetti

Il mattino dopo i giornali uscirono con un titolo a piena pagina:

FUGGITO IL BAMBINO DEL BOSCO!

Sotto c'erano una foto di Rick quando era ancora in gabbia e una di Triponzo, scosso dai singhiozzi. Prometteva una grossa taglia a chi avesse riportato a casa il suo "tesoruccio". Prima di mezzogiorno, alcuni cacciatori di taglie si erano già messi alla ricerca di Rick.

Il quale Rick invece, ignaro di tutto, continuava a dormire nel barile. Nelle ultime ore di sonno Guendy era venuta a trovarlo. Era cosí luminosa e calda da sembrare viva. Avevano parlato a lungo e lui si era stretto alla pelliccia argentata del suo collo. Prima di scomparire Guendy l'aveva leccato due o tre volte sul viso. — Ricordati, cucciolo, il motto di tuo nonno Akira — gli aveva sussurrato in un orecchio: «Coda alta e sguardo dritto, per non esser mai sconfitto». — Poi il sogno era finito, Guendy era scomparsa e lui si era svegliato rannicchiato nel barile.

I raggi opachi del sole invernale penetravano dall'alto. Cominciava un altro giorno. Un giorno in cui non aveva la minima idea di cosa sarebbe successo. Rick era ancora triste ma un po' meno della sera prima. Sentiva il Cerchio Magico lasciato da Guendy che vibrava ancora intorno a sé. Si alzò in piedi, si stiracchiò e canticchiando «Coda alta e sguardo dritto» saltò fuori dal barile.

Il sole era ancora basso sull'orizzonte e coperto da una nebbiolina biancastra. Il cortile era pieno di rottami e una fanghiglia unta e luccicante ricopriva il suolo. Rick si guardò intorno con circospezione, non sembrava esserci anima viva. Dalla strada accanto veniva un gran rumore di motori. Sopra a tutto, si sentiva l'ululato continuo delle sirene.

Anche se non sapeva nulla di quel che avevano detto i giornali, Rick intuí che sarebbe stato meglio non uscire allo scoperto. Poco lontano c'era un grande edificio di mattoni rossi con i vetri rotti. Senza perdere tempo, lo raggiunse ed entrò dentro. Lo spazio era enorme e quasi completamente sgombro. Poco distante, sul pavimento di cemento, c'era la lattina vuota di una bibita. Rick fece come aveva visto fare ai bambini del parco, le diede un calcio e la fece volare dall'altra parte. Dopo una lunga traiettoria la lattina planò dietro delle assi sconnesse, ma invece di fare *sdeng* fece *stunc*.

— Per tutti gli apriscatole! — gridò una voce stridula. Subito dopo balzò fuori una gatta che cominciò a soffiare verso Rick. Era una gatta bianca e nera, piuttosto magra. La coda, invece di essere dritta, era a forma di saetta.

— Mi scusi, signora... — disse subito Rick, che era stato bene educato. — Io non volevo...

La gatta continuava a soffiare. Soffiava con gli occhi stretti e la bocca spalancata come un serpente.

— Mi scusi! — gridò piú forte Rick avvicinandosi. — Mi scusi! Non l'ho fatto apposta! Le ho fatto male?

Solo a quel punto, la gatta smise di soffiare e lo guardò esterrefatta.

— Per tutte le scatolette di tonno! — esclamò la gatta. — Ma tu parli!?

— Perché, non dovrei? — domandò piano Rick.

— Beh, sí... cioè no... sí e no. Insomma sei un bambino. I bambini, da che mondo è mondo, parlano la lingua dei bambini, non quella degli animali!

Rick abbassò la testa. — Io non sono un bambino — mormorò guardando il pavimento.

— Oh bella! E cosa mai saresti?

— Sono un lupo, signora.

— Un lupo? — ripeté la gatta trattenendo a stento una risata. — Tu, un lupo?

Per tutta risposta Rick si sedette per terra e cominciò a ululare, cosí come faceva con Guendy nelle notti di luna piena. Poi con la gamba si grattò vicino all'orecchio, guardando la gatta dritta negli occhi.

— Sono il figlio di Guendy, la figlia di Akira e di Luna d'Argento.

La gatta ormai l'aveva raggiunto e lo osservava da

sotto in su. — Guendy... — ripeté come cercando qualcosa nella memoria. — Guendy... Mmm... Questo nome l'ho già sentito da qualche parte...

— Guendy del Cerchio Magico — suggerí Rick.

— Guendy del Cerchio Magico! — esclamò allora la gatta. — Ma certo, come ho fatto a non pensarci prima! Tu sei il famoso cucciolo nudo! Ne ho sentito parlare un'infinità di volte.

— Mi chiamo Rick, signora... — disse lui, e le porse la zampa. La gatta scrollò la testa: — Io mi chiamo Dodò, tesoro, la regina dei cassonetti...

Alle presentazioni seguí un attimo di silenzio. La gatta con una zampa anteriore si ravvivò le orecchie.

— Di' un po', tesoro — disse poi guardandolo sospettosa — come mai sei solo?

Rick sentí le corde vocali che cominciavano a tremare.

— Vuol dire senza Guendy? — disse, con lo sguardo basso. Poi fece un profondo respiro e aggiunse: — Guendy non c'è piú, signora. E non c'è piú neanche il Cerchio Magico...

La gatta si accorse che Rick stava per piangere. Con la testa diede un colpetto alla gamba del bambino.

— Chiamami pure Dodò — disse con voce bassa. — Stai tranquillo, siediti e raccontami tutto.

Rick parlò finché la notte non scese un'altra volta sulla fabbrica abbandonata. Alla fine del racconto la gatta scosse il capo e disse: — Una brutta faccenda. Una faccenda brutta davvero. — Poi, visto che ormai era buio e non si poteva fare niente, Dodò invitò Rick alla sua tana.

— Sono solo una gatta di strada — disse, una volta arrivati. — Ma se ti accontenti, un po' di caldo te lo posso fare lo stesso.

Si sdraiarono su dei vecchi trucioli di legno, uno accanto all'altra.

— Domani ci verrà un'idea. Sicuro che ci verrà — disse la gatta sbadigliando, poi chiuse gli occhi. Li chiuse anche Rick e dormirono un sonno profondo fino all'alba.

Quando Rick aprí gli occhi, Dodò era già sveglia da

un pezzo. Aveva fatto il giro di tutti i cassonetti del circondario e aveva preparato una magnifica colazione.

— Sveglia, tesoro — disse con la sua voce roca. — Ci aspetta una giornata faticosa. È meglio mettere prima qualcosa nella pancia. — Rick si mise subito seduto e, vedendo tutte quelle prelibatezze, sentí gli occhi diventargli umidi.

— È da quando non c'è piú Guendy che non mangio delle cose tanto buone.

— Bando alle tristezze — lo incalzò Dodò, spingendogli davanti un avanzo di coscia di pollo e due merendine mezze smangiucchiate. — Ricordati il motto dei gatti: «Pancia piena e gambe svelte».

Rick non se lo fece ripetere due volte. Si avventò sulle ossa del pollo, mentre Dodò, educatamente, sgranocchiava tra i denti delle lische di sardine.

— Ho fatto un giro di perlustrazione — disse poi, leccandosi i baffi. — Avevi ragione tu, la città sembra impazzita. Ci sono manifesti con la tua foto dappertutto ed è pieno di macchine della polizia che vanno piano piano, guardandosi intorno. Non pensavo che fossi cosí importante, per tutti gli apriscatole. Davvero no.

Rick stava finendo di leccare la carta di una merendina.

— Neanch'io lo sapevo, signora, cioè Dodò, ma ne farei volentieri a meno.

— A meno di cosa?

— Di essere famoso.

— Già, ma perché sei famoso? Sai cantare? Ballare? Scrivi poesie?

— Oh no, niente di tutto questo...

— Magari, senza saperlo, sei il figlio di un principe, di un re, di qualcuno a cui si può chiedere la ricompensa...

— Non credo proprio — rispose Rick sconsolato.

Dodò cominciò a leccare una scatoletta di tonno. E, tra una leccata e l'altra, parlava.

— *Slap slap*. Allora sai cosa ti dico, *slap*, ti dico che

in tutta questa storia c'è un sospetto, cioè, *slap*, ho il sospetto che ci sia qualcosa sotto. Qualcosa, *slap slap*, di strano perché non si è mai visto un cucciolo d'uomo che scappa di casa ed è inseguito da centinaia di auto della polizia. Vuol dire che sei importante, no? Piú importante di un cucciolo normale!

— Già, ma non so il perché.

— Mangia quegli avanzi di cotoletta e prova a sforzarti.

Rick era già sazio, ma obbedí lo stesso. Succhiando l'osso della cotoletta, all'improvviso si ricordò dell'apparizione di sua Mollosa Porchezza Pallaciccia I nello schermo e delle facce furibonde di Triponzo e dei suoi soci.

— Ci sono! — esclamò con l'osso ancora in bocca. — Ci sono!

— E cioè? — chiese Dodò che intanto si lisciava i baffi.

— Cioè, credo di aver visto qualcosa che non dovevo vedere.

— Quand'è successo?

— La sera in cui sono fuggito.

— E cosa hai visto?

Al solo pensiero della scena Rick sentí le gambe tremare come se avesse la febbre alta. — Devo proprio raccontarlo? — domandò con un filo di voce.

— Per forza, scricciolo — rispose Dodò e, per sentire meglio la storia, andò ad accoccolarsi in braccio a Rick.

Quando Rick ebbe finito di dirle tutto quello ch'era successo quella sera, Dodò guardò a lungo nel vuoto davanti a sé. Era pensierosa. — La cosa è davvero seria — disse allora. — Dobbiamo agire con cautela, usare tutta la nostra furbizia di gatti...

— Ma io sono un lupo — obiettò Rick.

Dodò sorrise. — Già, ma siccome adesso io sono tua zia, sei anche un po' gatto.

— E cosa devo fare per essere gatto?

53

— Devi ubbidirmi senza fiatare e camminare leggero senza fare rumore.

— Devo camminare adesso?

— No, adesso devi stare fermo. Fermo, immobile e zitto. Nasconditi sotto quelle assi e se entra qualcuno nel capannone smetti anche di respirare.

— E tu dove vai?

— Per tutti gli apriscatole! Vado a cercare qualcuno che sappia aprire le scatole per farci uscire da questo pasticcio.

— Cosa c'entrano gli apriscatole con i pasticci?

— Sei proprio un cucciolo, tesoro! Gli apriscatole sono i Due Zampe, cioè gli uomini.

— Ma perché apriscatole?

— Beh, perché è l'unica cosa interessante che loro sanno fare e noi no. Se ti fossi trovato davanti ad una scatoletta di tonno chiusa, capiresti l'importanza della questione.

— E non possiamo imparare?

Dodò sospirò rumorosamente. — Purtroppo no. Le mani non sono zampe e viceversa. Ci vorrebbe una fata o qualcosa del genere, ma è un bel po' di tempo che non se ne vedono, qui intorno. Per questo ogni tanto è meglio fare amicizia con un Due Zampe.

— E tu ti fidi del tuo Due Zampe? — domandò Rick perplesso.

— Mi fidissimo — rispose Dodò e trotterellando con la coda dritta si avviò verso l'uscita.

Rick, seguendo gli ordini della gatta, si sdraiò subito sotto le assi. Per terra c'era uno strato di trucioli di legno, erano umidi e odoravano ancora di bosco. Poco distante dal suo naso, un ragno stava tessendo la sua tela. Era regolare ed elastica e brillava come seta. Rick si sentiva inquieto. Erano successe troppe cose nelle ultime ore, cose di cui non capiva quasi niente. Poteva fidarsi della gatta Dodò, oppure no? Forse anche lei aveva solo finto di essere un'amica. Magari, in questo preciso momento, lo stava tradendo con un Due Zampe. Magari lo stava offrendo alla polizia in cambio dell'apertura perpetua delle scatolette. Una mosca restò intrappolata nella tela del ragno. "Anch'io farò quella fine?" si domandò Rick. Poi, stanco di pensare, si girò su un fianco e si addormentò.

La Due Zampe Cipolloni

La Due Zampe di Dodò era nientepopodimeno che Amalia Cipolloni, il Nemico Numero Uno di Sua Mollosa Porchezza.

La signora Cipolloni era alta e secca e teneva i lunghi capelli bianchi raccolti sulla nuca in una grande crocchia. Viveva tutta sola in una casetta con un piccolo giardino ai margini della città. Era vedova ormai da quasi vent'anni e non aveva figli. Prima di stabilirsi in quella casa, aveva girato il mondo con il marito, e le pareti del salotto erano piene di loro fotografie scattate in tutti gli angoli della Terra. Si erano conosciuti poco piú che ragazzi: lui studiava per diventare un acrobata, lei aveva sempre sognato di volare. Era stato un amore a prima vista. Lei aveva lasciato il suo impiego di dattilografa e si era messa a volare con lui. Insieme avevano fondato un circo, il Circo Attanasio Cipolloni & Consorte. Oltre a volare da un lato all'altro del tendone, sapevano fare dei numeri da giocolieri, predire il futuro, uscire da scatole ermeticamente chiuse, liberarsi dalle catene e parlare con tutte le specie di animali. I loro spettacoli avevano sempre un gran successo. Nessuno voleva credere che erano solo loro due a fare tutte quelle cose.

Attanasio se ne era andato durante una tournée in Patagonia.

56

Laggiú il vento soffia sempre fortissimo, e le corde del tendone, logorate da anni di lavoro, non ce l'avevano fatta a reggere quella furia. Mentre Attanasio eseguiva un doppio salto mortale da un trapezio all'altro, c'era stato un terribile boato seguito da uno schianto e, in meno di un secondo, gli spettatori si erano trovati senza piú niente sulla testa. Attanasio, con le corde, i pali e il soffitto, era stato risucchiato nel buio fondo della notte. Per un po' il pubblico era rimasto là, con il naso all'aria. Erano convinti che la sparizione facesse parte dello spettacolo. Poi dopo mezz'ora, visto che l'acrobata non tornava indietro e faceva piuttosto freddo, avevano cominciato a rumoreggiare chiedendo il rimborso del biglietto. La signora Cipolloni aveva faticato non poco per calmarli. Soltanto quando se ne erano andati tutti e lei era rimasta lí, seduta sui resti del circo, nel mezzo della pampa, aveva cominciato a chiamare il marito facendo imbuto con le mani. L'unica risposta gliel'aveva data il vento, ed era stato un lungo e tristissimo *Uhuuuhuuuuu*.

La signora Cipolloni, però, non si era data per vinta. Con ciò che restava del tendone si era costruita una specie di igloo ed era rimasta ad attendere. Aveva calcolato che ad Attanasio ci sarebbe voluto un mese, per fare il giro del mondo volando in senso orario, mentre per farlo in senso antiorario ce ne sarebbero voluti due, a causa dell'attrito.

Per sicurezza, nel caso suo marito si fosse fermato da qualche parte a prendere un caffè, la signora Cipolloni attese due mesi e dieci giorni. All'undicesimo si alzò e uscí dall'igloo. Aveva capito che, per il resto della sua vita sulla Terra, avrebbe dovuto volare da sola. Messe le poche cose rimaste in una borsa a fiori rosa, si era imbarcata su un piroscafo ed era tornata in Europa.

Nella città non aveva ormai piú nessun parente e in vent'anni non aveva stretto amicizia con nessuno. Sebbene non facesse altro che occuparsi del giardino, i vicini la consideravano una persona piuttosto strana. Non parlavano volentieri con lei e piú di una volta avevano fatto un esposto alla polizia a causa del puzzo che emanavano i suoi fiori.

Quel mattino stava proprio cimando i suoi gerani, quando Dodò, con la coda dritta e l'aria piú indifferente del mondo, varcò il cancello del suo giardino.

Approdata tra le lunghe gambe della sua padrona, Dodò le diede un colpetto con la testa, strusciandosi due o tre volte con il corpo. La signora Cipolloni guardò verso il basso.

— Dodò — disse — qual buon vento! Vuoi una scatoletta?

— Una scatoletta non si rifiuta mai — rispose la gatta e subito seguí la sua amica all'interno della casa.

Una volta dentro la signora Amalia aprí la dispensa ed esibí tutte le sue riserve. — Cosa preferisci oggi? — do-

mandò. — Manzo? Selvaggina di bosco? Salmone e gamberetti?

— Vada per il salmone — disse la gatta, e si mise seduta composta davanti al piatto. La signora Amelia lo riempí di cibo, poi prese una sedia e si sedette vicino al tavolo. Dodò mangiò tutto in poco meno di un secondo e mezzo. Poi, facendo le fusa, cominciò a pulirsi il muso e la pelliccia.

— Quali nuove dai cassonetti? — domandò la signora.

— Nuove cattive, anzi pessime — rispose Dodò leccandosi i baffi. — È per questo che sono venuta qui. Abbiamo bisogno del vostro aiuto.

— Abbiamo? Da quando in qua parli per due?

Allora Dodò si avvicinò al suo orecchio e parlando piano, per timore che qualcuno potesse sentirla dalla finestra aperta, cominciò a raccontarle tutta la storia, dal Cerchio Magico fino al ritrovamento del cucciolo nudo.

Appena la gatta ebbe finito il racconto la signora restò immobile, accarezzandosi un orecchio.

Faceva sempre cosí quando era soprappensiero.

— Bisogna fare qualcosa, e subito.

— Già, ma cosa? Le strade sono piene di polizia. Se Rick fa un passo viene subito scoperto.

— Uhmm, *scrat scrat*, fammi pensare...

— Andiamo a prenderlo con la macchina e lo nascondiamo sotto il sedile?

— Ho soltanto una bicicletta e per di piú con una ruota sola — rispose la signora. — Temo che ci faremmo subito notare.

Nel silenzio della cucina si sentiva solo il battito della vecchia pendola.

— Per tutti i piripif, ci sono! — esclamò all'improvviso Amalia, sbattendo il suo piccolo pugno secco sul tavolo. — Ci sono!

— E cioè?

— Ascolta, vai in giardino e aspettami. Appena ti raggiungo incamminati verso il capannone. Stai lontana per non dare nell'occhio. Io ti seguirò come se niente fosse.

Dodò ubbidí senza fiatare. Cinque minuti dopo la signora Cipolloni comparve sulla porta. Aveva sul naso dei grandi occhiali da sole che la facevano somigliare ad una mosca e in mano teneva il suo borsone a fiori. Camminando lontane, come se non si conoscessero, con passo tranquillo si avviarono verso la vecchia fabbrica.

Quando entrarono, Rick stava ancora dormendo. Si svegliò di soprassalto e appena vide una sagoma umana cominciò a ringhiare.

— Olallà! — esclamò la signora Cipolloni. — Non mi avevi detto che si trattava di una belva feroce!

— Rick — disse Dodò, andando avanti baldanzosa. — Ti presento la signora Cipolloni, la mia amica Due Zampe.

Rick chiuse la bocca e guardò la gatta e la signora con aria perplessa. Era indeciso se offrire la mano o scodinzolare.

La signora Cipolloni si avvicinò a Rick e gli diede una grattatina dietro le orecchie.

— Questo piace molto ai cani — disse, continuando a grattare.

— Non sono un cane! — protestò Rick.

— Lo so, lo so. Sei un lupo — rispose bonaria la Cipolloni. — Però adesso, per un po', dovrai far finta di essere un cane. In fondo i cani e i lupi sono cugini, non ti costerà una grande fatica.

Poi aprí il suo borsone e tirò fuori qualcosa che somigliava ad una pelliccia.

— Cos'è? — chiese Dodò girando intorno.

— Oh bella, non lo vedi? È un costume da cane, da cane da circo.

— Da circo? Cos'è il circo? — domandò Rick, sospettoso.

— Non perdiamo tempo in chiacchiere — rispose la

signora Cipolloni, e con un gesto brusco aprí la cerniera del costume, che era proprio della taglia di Rick. Aveva la pelliccia nera e riccia, i peli della testa erano tenuti dritti da un fiocchetto.

Dodò gli girò intorno soddisfatta. — Ti sta d'incanto, tesoro — osservò, sfiorandolo con la coda.

— Io mi sento ridicolo — bofonchiò Rick dall'interno, mentre la signora Cipolloni gli allacciava il guinzaglio. Per controllare se teneva, Amalia lo strattonò due volte. Rick, per tutta risposta, mugolò.

— Bando alle lagne, cucciolo — disse. — Piuttosto mostrami come fai il cane. Siediti. Alzati. Grattati. Bravo. Adesso annusa la pipí in un angolo. Sí, cosí. Fammi vedere come tiri il guinzaglio perché hai visto una pizzetta. Sei proprio bravo, sai. Uggiola un po'... — Rick ubbidí diligente a tutti gli ordini.

— Perfetto! — esclamò entusiasta la signora Cipolloni. E, dopo essersi aggiustata gli occhiali sul naso e il cappello a focaccia sulla testa, si avviò verso la porta, trascinando Rick al guinzaglio.

— Ricordati di annusare gli angoli e di fare pipí ogni tanto — gli disse prima di uscire.

Trotterellando per la strada e annusando gli angoli piú succulenti, Rick si accorse che quanto gli aveva detto Dodò quel mattino era proprio vero. Non c'era un solo muro dove non fosse appicciata la sua foto. La signora Cipolloni si fermò in un paio di negozi a fare la spesa e Rick educatamente l'aspettò fuori. Mentre percorrevano l'ultimo tratto di strada, una macchina della polizia si accostò a loro. La schiena di Rick si coprí di un sudore gelato. Per non dare nell'occhio cominciò a grattarsi furiosamente sul collo con la zampa posteriore.

— Buongiorno agente — disse la signora Cipolloni con voce brillante. — Qual buon vento?

L'agente sporse un braccio dal finestrino e le mostrò una foto. — Ha visto per caso questo bambino?

Amalia finse di guardare con attenzione. — Mah! No, mai visto — disse poi scuotendo la testa.

— Mai, mai, mai?

— Mai! Caro agente, io quegli sgorbi li detesto. Mi fanno un tale orrore che, se anche l'avessi incontrato a un chilometro di distanza, me lo ricorderei.

L'agente mise la foto su un cruscotto e si sporse nuovamente. — Si è fatta un cane?

— Già — rispose la Cipolloni accarezzando la testa di Rick. — Le piace? Si chiama Spulcio, me l'hanno regalato degli amici del circo di Varsavia.

— È da guardia?

— Da guardia e da compagnia. Sa, agente, alla mia età fa bene aver qualcuno con cui scambiare quattro chiacchiere.

— Perché invece non si compra un televisore? — rispose l'agente, mentre la macchina cominciava a muoversi. — È più comodo e più pulito. Non puzza, non abbaia e non sporca i marciapiedi.

— Affari miei — stava per rispondergli la Cipolloni, ma per fortuna la macchina era partita sgommando, con le sirene accese.

Cinque minuti dopo Rick e Amalia erano arrivati a casa. Quando sentí chiudersi la porta alle sue spalle, da dentro il costume Rick domandò: — Posso togliermi la pelliccia?

— Per tutti i piripif, no. Non se ne parla neanche. È troppo pericoloso.

— E allora cosa faccio?

— Te l'ho detto. Fai il cane. Anzi, già che ci siamo ti preparo subito la pappa. — Detto questo la signora Cipolloni aprí le ante della dispensa.

— Manzo e verdure, pollo e riso o ragú di selvaggina?

Ma allora sei un bambino!

La prima notte Rick dormí in una cuccia provvisoria che la signora Cipolloni gli aveva preparato in giardino. Era calda e confortevole. Intorno, dal prato e dagli alberi del giardino, giungevano i piccoli rumori degli animali della notte. Rick si distese come una volta si distendeva nella tana. Tutto, gli alberi, il luogo raccolto, il cielo sulla testa gli ricordavano gli anni trascorsi al Cerchio Magico. Si sentiva ad un tempo confortato e triste. Per un po' rimase lí con gli occhi aperti a guardare il buio fondo della notte, poi la stanchezza prese il sopravvento, la testa gli scivolò sul braccio e si addormentò.

Nel sonno comparve Ursula. Stava seduta sul suo ramo ed era in gran forma. I suoi occhi erano neri e vivi, lui le stava seduto di fronte e, come sempre, stavano parlando.

— Perché tutto finisce? — le domandava lui.

Lei, sporgendo le labbra in fuori, sorrideva. — Tutto finisce, cucciolo, perché tutto ricomincia.

— Perché ricomincia? Come fa a ricominciare?

— Perché la vita è come il mondo, un cerchio, cucciolo nudo. Parti, cammini e cammini e poi arrivi allo stesso posto da cui sei partito. Stai lí un po', poi riparti un'altra volta. Perché se cosí non fosse, cucciolo nudo, non pensi che il Buon Dio avrebbe fatto il mondo quadrato?

Rick era deluso. — Ma allora non è meglio restare fermi?

— Solo i sassi stanno fermi. Chi ha le zampe deve muoversi.

— Ma perché? — gridava Rick. — Perché?

— Per imparare — rispondeva Ursula allungando la mano per fargli una carezza sul viso. Ma prima che la sua mano nera e pelosa riuscisse a sfiorarlo, il sogno esplose come una bolla di sapone.

Rick si ritrovò sul fondo della cuccia, solo e con gli occhi umidi.

— Voglio Guendy — mormorò, mentre le lacrime cominciavano a scendergli lungo le guance. — Voglio Guendy... voglio Ursula... voglio Guendy...

Ormai le parole e i singhiozzi gli uscivano in modo incontrollato. Batteva i pugni per terra e non aveva piú fiato. Le lacrime avevano bagnato tutta la pelliccia e quasi non riusciva a respirare. Da quando era nato non si era mai sentito cosí male.

— Voglio Guendy... — ripeté piano, lamentandosi come un animale ferito.

— Ah, ma allora sei un bambino!

Rick aprí gli occhi e davanti a sé vide i polpacci secchi della signora Cipolloni. Si chinò verso di lui e, afferrandolo sotto le braccia, lo trascinò fuori dalla cuccia e lo portò in casa. Appena dentro lo sdraiò sul letto e gli tolse la pelliccia. Il corpo di Rick era ancora scosso dai singhiozzi. La signora Cipolloni prese un fazzoletto e gli soffiò il naso. Poi si sedette accanto a lui e gli mise una mano sulla fronte. Restarono per un po' cosí, in silenzio. I singhiozzi di Rick cominciarono a rallentare, sembrava una locomotiva a vapore che sta per fermarsi.

— Vuoi una cioccolata calda? — domandò la Cipolloni. Rick non rispose perché non sapeva cosa fosse. Amalia si alzò, andò ai fornelli e tornò dopo un poco con una tazza fumante. Sollevò delicatamente la testa a

Rick e lo aiutò a bere i primi sorsi. Appena quel nettare caldo e dolce gli scivolò in bocca, Rick si sentí subito meglio.

— Perché sono un bambino? — domandò, tirandosi su con i gomiti.

— Non lo vedi? Perché piangi con i goccioloni.

— Con i goccioloni?

— Sí — rispose Amalia indicando la pelliccia. — Tutta quell'acqua lí, i cani non la fanno mica.

— Non piangono i cani?

— Certo che piangono. Tutti piangono quando sono tristi, anche gli alberi. Piangono, ma piangono dentro. Fuori non si vede niente.

— E perché piango?

— Questo te lo domando io. Perché piangi?

Rick rimase per un po' in silenzio, guardandosi le punte dei piedi.

— Per Guendy — disse poi facendo un profondo respiro. — Perché Guendy non... non... — Un singhiozzo violento gli tolse la voce. La signora Cipolloni gli accarezzò la testa.

— Perché Guendy non c'è piú?

Rick abbassò gli occhi.

Amalia si sedette sul letto accanto a lui.

— Su — disse — vieni qua in braccio e raccontami tutto di Guendy.

Rick obbedí e, protetto dalle braccia della signora Cipolloni, cominciò a parlare. Raccontò di lui e di Guendy, di Ursula e degli anni felici vissuti prima che il Cerchio Magico fosse distrutto. Amalia intanto lo grattava dietro le orecchie.

Quando Rick ebbe finito gli disse: — Sai, la tua mamma aveva ragione. Il Cerchio Magico dell'amore non finisce mai, è come un piccolo caminetto che resta sempre acceso tra due cuori che si vogliono bene. Anch'io tanti anni fa — proseguí, indicando le foto alle pareti — volevo tanto bene ad una persona e ora quella persona non c'è piú. I primi tempi ero molto triste, ma poi ho capito che in fondo non era cambiato molto. Anche se non lo vedo piú, Attanasio è sempre vicino a me.

Rick ascoltava molto interessato. — Però non c'è! — osservò, tirando su con il naso.

La signora Cipolloni sorrise: — È vero, non si vede, ma il fatto che non si vede non vuol dire che non c'è. — Rick si rannicchiò di nuovo tra le sue braccia. Non capiva molto di tutta quella storia.

Amalia sospirò, poi disse: — Mai sentito parlare dell'anima?

— Chi è? Una Due Zampe sua amica?

— Non è una persona, ma qualcosa che hanno le persone.

— E i lupi no?

— Anche i lupi, certo. I lupi, i gatti, gli scoiattoli. Tutto quello che si muove ha l'anima. Se cosí non fosse, io non potrei parlare con te, con Dodò, con l'anima di Attanasio.

— Anche gli autobus hanno l'anima? Anche le macchine?

— No, tesoro. Gli autobus e le macchine non hanno l'anima. Non ce l'hanno neanche gli aeroplani. Hanno il motore, ma il motore è qualcosa di diverso. Ha bisogno di benzina per andare avanti e poi si rompe.

— E perché non hanno l'anima?

— Beh, è una storia molto lunga, e piuttosto complicata.

— Oh, raccontamela, ti prego — esclamò Rick. — Ursula mi raccontava sempre tutto.

— È cosí lunga che se te la raccontassi tutta alla fine avresti la barba e i capelli bianchi e io l'età di Matusalemme. Però vediamo — proseguí mordicchiandosi il mignolo. — Vediamo... un po'... *uff*... *uff*... ecco, ci sono! Ascolta: le cose costruite dall'uomo non hanno l'anima neanche se si muovono; ce l'hanno solo quelle che si muovono senza essere fatte dall'uomo.

Per tentare di capire Rick ripeté la frase. Mentre la ripeteva, però, fu colto da un atroce sospetto.

— Anche Triponzo e Pallaciccia hanno l'anima, allora!

— Certo che ce l'hanno — confermò la Cipolloni. — Ce l'hanno, ma si sono scordati di averla. È una cosa che di questi tempi capita piuttosto spesso.

— E cosa succede?

— Apparentemente niente. Però sono come piante senza radici. Basta un po' di vento per portarli via.

— Allora speriamo che venga una bufera — esclamò entusiasta Rick. Poi si fece nuovamente pensieroso.

— Ma Guendy? Dov'è Guendy?

Amalia avvicinò le labbra all'orecchio di Rick.

— Guendy — bisbigliò. — Guendy è vicino a te.

— Ma io non la vedo!

— Non la vedi ancora, ma aspetta. Chiudi gli occhi e non agitarti. Respira piano. Respira e pensa a quando eravate felici e dormivate insieme nella tana del Cerchio Magico.

Rick obbedí. Anche con le palpebre chiuse sentiva gli occhi inumidirsi.

— Respira — proseguí la Cipolloni — e pensa di essere leggero come il vento che accarezza dolcemente le foglie degli alberi. Tu sei il vento e in quel vento c'è anche Guendy, la vedi? Ti sta correndo incontro leggera e con la coda dritta.

Rick era emozionatissimo. Dopo qualche istante, nel buio degli occhi chiusi era comparsa una luce, una luce lontana che si muoveva piano. La luce, con un movimento quasi impercettibile, aveva cominciato ad avvicinarsi. Solo allora, oltre la luce, aveva sentito anche un odore. Era un odore di bosco e di pelliccia umida. L'odore di Guendy!

— Adesso — mormorò la signora Cipolloni — apri gli occhi. Aprili piano e non perdere la concentrazione.

Lentamente Rick sollevò le palpebre. E subito sentí il suo cuore muoversi forte come se volesse esplodere.

Seduta davanti a lui, con il tartufo nero e luccicante e gli occhi lustri, c'era la sua mamma.

— Guendy! — gridò, e si gettò verso di lei.

Guendy sorrise. I loro nasi si toccarono e fecero *cic*.

Il tempo si era fermato, nella stanza era sceso un gran silenzio. Rick avrebbe voluto chiedere mille cose alla sua mamma, ma aveva paura che le parole rompessero l'incantesimo. Dopo qualche istante si accorse che le parole non sarebbero servite a nulla. Guendy infatti gli stava dicendo tutto con gli occhi. Il suo sguardo brillava di gioia come quando, d'autunno, correva a perdifiato sul tappeto di foglie morte. Rick seppe cosí che ormai Guendy viveva nella grande steppa dei lupi felici assieme ad Akira e a Luna d'Argento e tutti i suoi antenati, fino alla deciunmillesima generazione. Da lí poteva vedere ogni punto della Terra. Però, essendo prima di tutto una mamma, di tutti quei punti gliene interessava uno solo. Quello dove si trovava Rick, il suo bambino. Era stata lei ad aiutarlo a fuggire da Triponzo, facendogli trovare il furgone dei camerieri. Lei gli aveva mandato incontro la gatta Dodò e la signora Cipolloni.

A quel punto Guendy aveva fatto una pausa. Rick non aveva mai visto i suoi occhi diventare cosí luminosi. — Ti ricordi — aveva detto poi — quando vedevamo i bambini nel parco giocare con gli aquiloni? Io e te adesso siamo come il bambino e l'aquilone. Tu sei a terra e io sto in alto, c'è un filo teso tra noi. Tu cammini e, mentre tu cammini, io trotterello in alto, tra le nuvole. Ti seguo ad ogni passo. Senza che tu te ne accorga, ti porto dov'è giusto che tu vada.

Detto questo i loro nasi avevano fatto di nuovo *cic*. — Coda alta e sguardo dritto per non esser mai sconfitto —

aveva bisbigliato Guendy. — Non scordartelo mai, cucciolo mio. — Poi l'aria intorno a lei aveva cominciato a vibrare e la lupa si era dissolta, portandosi dietro il suo odore di bosco e di pelliccia.

Appena fu scomparsa Rick restò per un po' immobile, seduto nello stesso posto. Anche se Guendy se ne era andata non si sentiva per niente triste.

Adesso sapeva che Guendy era vicina, doveva obbedire ai suoi ordini, vivere come un vero lupo: «Coda alta e sguardo dritto».

La signora Cipolloni gli toccò leggermente una spalla. — Mancano tre ore all'alba — osservò. — Che ne diresti se provassimo a dormire ancora un po'?

Rick la raggiunse sul letto. — No — disse lei. — È più sicuro se vai a dormire nella cuccia. Nessuno deve sospettare che sei nascosto a casa mia. Aiutò Rick a infilarsi di nuovo la pelliccia, poi gli aprí la porta del giardino. — Ricordati di abbaiare se viene qualcuno — poi chiuse la porta. Rick vide spegnersi la luce alle finestre e si infilò nella cuccia. Era tanto tempo che non si addormentava cosí felice.

Uno shampoo senza schiuma

Il mattino dopo la sua giornata cominciò come quella di tutti i cani. Con una bella ciotola di latte e pane secco. Dopo colazione si stese sul prato a prendere un po' di sole. Mentre stava in quella posizione una cavalletta gli saltò davanti al naso. Rick dentro di sé sorrise. Fino a non molto tempo prima le sarebbe corso dietro, ma adesso era grande, non si interessava piú di quelle cose. Posò il muso sulle zampe davanti e s'appisolò al tepore dei raggi. Lo svegliò poco dopo la voce della signora Cipolloni che lo chiamava da una finestra aperta.

— Spulciooo! Spulcio, alzati che andiamo a fare la spesa. — Rick le andò incontro sulla porta scodinzolando e si fece mettere il guinzaglio. A parte una cagnetta che l'importunò annusandogli il sedere per metà della strada, durante l'uscita non ci furono problemi. La gente, vedendolo, si metteva un fazzoletto sulla bocca e sul naso e cambiava marciapiede. Ma a questo Rick ormai era abituato. In quella città tutto quello che aveva la pelliccia faceva schifo. Arrivati davanti al supermercato la signora Cipolloni legò il guinzaglio a un gancio vicino all'ingresso.

— Stai buono, torno subito — gli disse e sparí inghiottita dalle porte girevoli. Rick si accucciò come gli aveva insegnato Guendy, chiuse gli occhi e schiacciò un pisolino. Al ritorno, visto che era una bella giornata, la signora Cipolloni decise di fare un giro piú lungo, costeggiando il vecchio zoo della città.

— Vedrai — disse sciogliendolo dal gancio — ci sarà una sorpresa. Ma devi promettere di stare zitto.

Dopo due o tre isolati, Rick sentí un odore che gli era noto, odore di animali, non di esseri umani. Lo zoo doveva essere vicino. In quell'istante l'aria fu attraversata da un fischio lungo e modulato. Rick alzò il muso verso l'alto e subito il suo cuore fece un tonfo come se avesse saltato un'intera rampa di scale. Non poteva credere ai suoi occhi! Lassú nella grande gabbia arrugginita che sbucava dal muro di cinta dello zoo, c'era Ursula.

— Ursu...! — gridò Rick, ma il grido gli si strozzò in gola perché la signora Cipolloni tirò subito con forza il guinzaglio.

— Stai zitto e vai avanti — sibilò con i denti stretti.

— Ma quella... — tentò di obiettare. La Cipolloni lo fulminò con uno sguardo.

— Zitto — disse piano e poi piú forte aggiunse: — Su, bello mio, fai la cacca se no facciamo tardi per il mio programma preferito.

Per accontentarla Rick fece due o tre gocce di pipí su un angolo consunto. Si sentiva le budella sottosopra e i suoi pensieri correvano confusi come cartacce sospinte dal vento. Ursula, era proprio lei? E come era finita là dentro? Possibile che fosse stata fatta prigioniera? Come aveva fatto a riconoscerlo cosí nascosto sotto la pelliccia di Spulcio?

Non riuscí a tenere la lingua ferma.

— Ma è Ursula, dobbiamo fare qualcosa...

— Ogni cosa a suo tempo — mormorò la signora Cipolloni e lo strattonò un'altra volta. Intanto erano arrivati all'incrocio che portava a casa. Da lí si accorsero che quella giornata non era affatto tranquilla com'era sembrata all'inizio.

Davanti al cancelletto, infatti, erano ferme una macchina della polizia e due auto nere. Il cancelletto era aperto e anche la porta di casa era spalancata. Rick sentí le gambe che iniziavano a muoversi come se volessero ballare il tip tap. La signora Cipolloni tirò leggermente il guinzaglio per due volte. Nel loro linguaggio cifrato voleva dire: stai calmo e comportati da cane.

Appena entrati in giardino, Rick rizzò subito il pelo del collo. Snuff snuff, c'era un odore che non gli piaceva per niente, sembrava in tutto e per tutto l'odore di Triponzo.

E infatti, in meno di un secondo, comparve Triponzo. Era ancora piú grasso dell'ultima volta che l'aveva visto. Assieme a lui c'erano due poliziotti e altri tre sgherri vestiti come corvi. Avevano buttato per aria tutta la casa e avevano l'aria molto minacciosa. «Coda alta e sguardo dritto.» Rick cominciò subito a ringhiare: — *Grrrr roar grrr.*

— Leghi quel cagnaccio — gridò Triponzo con la voce in falsetto. — Lo leghi o...

— Lo lego, lo lego — rispose calma la signora Cipolloni. — Però voi mi dovete spiegare chi vi ha dato il permesso di entrare in casa mia.

— Ce lo siamo preso, *uak uak* — gracchiò uno sgherro ridendo. Poi si avvicinò ad Amalia e la prese per il bavero della camicetta a fiori.

— Fuori il bambino — sibilò sputacchiandole in faccia.

— Bambino? Di che bambino state parlando?

— Non faccia la gnocca — disse Triponzo. — Stiamo parlando di mio figlio adottivo.

— Per vostra norma e regola — rispose la Cipolloni, staccando bruscamente il ceffo dalla camicetta — sappiate che sono allergica ai bambini. Solo sentirne l'odore mi provoca conati di vomito. E poi, dato che avete buttato tutto per aria, avete già visto che non c'è. Dunque, smammate.

Rick, dal giardino, sentiva tutto ed era veramente am-

mirato. Anche se era una Due Zampe, la signora Cipolloni non aveva niente da invidiare ad un lupo.

— Non è cosí semplice — disse la voce di Triponzo. — Tutti sanno che lei è una strega e dunque è evidente che potrebbe aver fatto qualche magia.

La signora Cipolloni rise: — Già! — esclamò. — Se è cosí, posso anche trasformarvi in rospi o in scarafaggi.

— C'è poco da scherzare — rispose Triponzo, con le tre pance che per la rabbia gli tremolavano come *crème caramel*. — Lei è l'unica cittadina che ancora non si è uniformata all'ordine generale. Non ha la televisione, non legge i giornali, non partecipa alle manifestazioni per la pulizia del mondo. Si ostina a contornarsi di animali immondi e a coltivare fiori puzzolenti. Ce n'è abbastanza per richiuderla in una batisfera e spedirla in fondo alla fossa delle Marianne.

La signora Cipolloni incrociò le mani sul petto.

— A me il mondo piace sporco — disse piano, sillabando le parole — con gatti, cani, fiori e tutto il resto.

— Non per molto — ribatté un agente, aprendo una grande scatola posata sul tavolo. Dalla carta e dal cartone uscí una scatola nera. Amalia portò le mani al viso per l'orrore. — Oh no, una televisione!

Triponzo e gli agenti erano ormai sulla porta.

— Già — gridò da lí, allegro. — È un nostro pensierino per lei! Una televisione telecomandata. Saremo noi a decidere quando accenderla e lei sarà costretta a vederla! *Adieu, madame!*

Amalia sentí la porta sbattere, sentí Spulcio abbaiare furiosamente e poi le macchine partire sgommando.

Sfinita, si lasciò cadere sulla sedia. In quello stesso istante, con uno *zip* leggero, la televisione si accese.

Per un paio d'ore Rick non osò entrare in casa. Era successo qualcosa di grave, ma non riusciva a capire cosa. Soltanto nel tardo pomeriggio spinse la porta con il naso e scivolò dentro. La signora Cipolloni era ancora seduta sulla sedia e guardava il vuoto davanti a sé. Rick le sfiorò la mano con il muso. Amalia si scosse.

— Ah, sei tu... — disse con voce stanca.

— Cos'è successo? — domandò Rick.

— Abbiamo un ospite, un ospite sgradito...

Solo allora Rick si accorse del grande catafalco che troneggiava in mezzo alla stanza.

— Ehhh! Ecco, dove l'avevo già vista. L'ho vista là dentro in quel coso, a casa di Triponzo.

— Impossibile! — esclamò la signora Cipolloni indignata. — Non sono mai stata a un telequiz, né a un *talk show*. Non ho mai messo piede là dentro!

— Parola di lupo, sono sicuro. Lo hanno anche detto a voce alta: «Ecco la signora Cipolloni, l'ultimo ostacolo da eliminare».

— Hanno detto cosí?

— Sí...

— E io cosa facevo?

— Andava in giro per il giardino e dava una scatoletta a Dodò.

— Mi spiano, allora — disse la signora Cipolloni e poi, con un'espressione preoccupata, aggiunse: — Raccontami per filo e per segno tutto quello che hanno detto.

Quando Rick le ebbe raccontato di Pallaciccia, Amalia batté un pugno sul tavolo.

— Per tutti i piripif! — esclamò. — Allora i miei sospetti erano tutti fondati! — Nello stesso istante dalla televisione esplose, a tutto volume, l'inno di Sua Mollosa Porchezza:

Un mondo pulito e obbediente
Panza piena e in testa niente.

Rick rizzò il pelo della schiena e cominciò a ringhiare. Finito l'inno comparve la faccia di un presentatore. Era morbida e opaca come il marzapane.

— Buongiorno, cari amici — disse mollemente. — Siamo qua per passare un altro bel pomeriggio insieme. Prima di farlo, però, vorrei invitare chi di voi possiede fiori e piante, a strapparli e buttarli nella pattumiera...

A quel punto la signora Cipolloni levò la tovaglia dal tavolo e la gettò sulla televisione. Poi, visto che la voce continuava a sentirsi, prese i due cuscini dalle poltrone, li legò intorno all'apparecchio con la corda di un tenda e si lasciò cadere a peso morto sulla sedia.

— È una congiura — disse. — Hanno lavato il cervello a tutti per arrivare a questo punto.

— Come?... Quel coso fa anche lo shampoo in testa? — domandò Rick meravigliato.

— Diciamo cosí, uno shampoo senza schiuma. Insomma lava i pensieri in testa senza che nessuno se ne accorga.

— Quella canzone — disse Rick — l'ho sentita la notte in cui sono scappato.

— L'hai sentita dalla televisione?

— No, dai bambini...

— Conosci altri bambini? — domandò stupita la signora Cipolloni.

— No, non li conosco. Li ho solo visti.

— Dove li hai visti?

— Li ho visti per la strada, una notte. Erano tanti e marciavano tutti in fila cantando la canzone. Dietro a loro, c'era un camion che portava tanti sacchi chiusi.

— Dove andavano?

Rick dentro la pelliccia sollevò le spalle. — Non lo so, mi pare che marciassero verso le montagne.

— Uhmmm uhmm... Per tutti i salti mortali! La cosa puzza sempre piú di bruciacchiato.

— Dobbiamo fare qualcosa? — domandò Rick con voce incerta.

— Solo i vermi stanno lí e aspettano di essere schiacciati. Sei un lupo o un verme?

— *Grr*, un lupo! — rispose Rick seccato.

— E allora ascolta. Tanto per cominciare, questa notte ci apposteremo in giardino.

— E per finire?

— Facciamo un passo alla volta. Uno solo, cucciolo. Solo cosí non ci si può sbagliare. Adesso vai in giardino. Dopo mezzanotte ti raggiungerò vicino al buco della palizzata.

Un perfetto triponzino

Mezzanotte arrivò in un battibaleno. A mezzanotte e tre, la porta di casa si aprí e, con indosso una tuta nera come quella di Diabolik, la signora Cipolloni uscí in giardino. Si sdraiarono sull'erba uno accanto all'altro. Era da quando non c'era piú Guendy che Rick non sentiva vicino a sé un corpo caldo. Senza quasi accorgersi tirò fuori la lingua e *slap*, le leccò il viso.

— Cosa fai? — bisbigliò. — Non è il momento per questi sdilinquimenti.

— Visto che non ho piú la mamma — domandò piano Rick, facendole solletico con i baffi del costume — posso almeno chiamarti zia... Zia Cip?

— Va bene, vada per zia Cip. Però adesso stai zitto che...

In quello stesso istante, dal fondo della strada, cominciarono a sentirsi le note della canzone. Dopo qualche minuto, ecco sfilare davanti a loro decine e decine di bambini. Erano molti piú di quelli che Rick aveva visto la volta prima, però marciavano con lo stesso passo compatto, con lo stesso sguardo fisso davanti a sé, vuoto.

Per tutto il corteo la signora Cipolloni e Rick restarono immobili, senza fiatare. Quando tutti i bambini furono passati, arrivò il camion. Era molto grande e aveva i vetri scuri. Dietro, disposti in ordine meticoloso, c'erano decine e decine di sacchi di iuta. Appena il corteo scomparve, Amalia toccò Rick con il gomito.

— Di' un po' — disse — non hai notato niente di speciale?

— Oh, no. Era tutto uguale identico all'altra volta.

— Non hai visto gli occhi?

— Gli occhi di chi?

— Gli occhi dei bambini. Gli occhi dei bambini erano quadrati. Avevano tutti la stessa forma, la forma di un televisore.

— Anche l'altra volta ce li avevano cosí. Cosa vuol dire, zia Cip?

— Non lo so, ma lo scopriremo.

— È proprio necessario?

— Ricordati chi sei — rispose la signora Cipolloni e, dopo avergli schioccato un bacio sulla fronte, tornò a casa e chiuse la porta.

La mattina seguente Rick fu svegliato dalla voce di Dodò.

— Buongiorno, lupetto — disse affacciandosi alla cuccia.

Rick aveva ancora sonno. Stiracchiandosi domandò:
— Come mai da queste parti?

— Riunione straordinaria — rispose Dodò con aria importante. — Mi ha convocato la Due Zampe.

In quel momento la signora Cipolloni si affacciò alla finestra e li chiamò dentro. Sul pavimento c'erano già pronte due ciotole, una con pane e latte e l'altra con merluzzo. Dodò e Rick mangiarono tutto rapidamente poi raggiunsero Amalia in salotto. Dodò saltò su un bracciolo della poltrona mentre Rick si sistemò ai suoi piedi.

— La situazione è grave — esordí la signora Cipolloni, infilandosi un pettinino nella crocchia. — Molto piú grave di quanto sospettassi. — Fece una pausa pensierosa. Come poteva raccontare tutto quello ch'era successo negli ultimi anni? I fiumi, che una volta erano placidi e limpidi, adesso erano coperti di schiuma come una vasca da bagno. Dentro non c'erano piú pesci né granchi, e la sera intorno non cantavano piú i grilli, né le lucciole brillavano sulle loro sponde. Tutti i campi e i giardini intorno alla sua casa erano stati rasi al suolo e coperti di cemento; sul cemento avevano costruito dei grattacieli enormi. Lí dentro vivevano migliaia di uomini, schiacciati come formiche nel formicaio. Invece di salutarsi e chiacchierare, quando si incontravano guardavano dall'altra parte o ringhiavano. Non c'erano piú bambini per le strade: invece di giocare agli indiani e ai cow-boy stavano chiusi in casa a guardare la televisione. Se uscivano di casa, era solo per andare a comprare qualcosa. Avevano paura degli insetti, delle foglie, di tutto ciò che non era plastica o cemento e girava intorno. In ogni ora del giorno e della notte, le televisioni vomitavano le loro stupidaggini sulla gente e la stessa cosa facevano i giornali. Il loro rumore era cosí forte e onnipresente che era quasi impossibile trovare lo spazio per pensare con la propria testa. Grazie all'opera astuta dei giornali e della TV, erano riusciti a convincere la gente a distruggere l'ultima zona verde, Villa Gioiosa. Su ogni cosa c'era un velo di tristezza e l'aria era cosí densa e sporca che persino i suoi gerani, nonostante le cure continue, stentavano a crescere e a fare i fiori. I pochi alberi rimasti avevano solo qualche foglia giallognola. Di lí a non molto non avrebbero avuto neanche quella. E adesso c'erano anche i bambini. I pochi bambini rimasti che marciavano come automi con le pupille a forma di televisore.

Dodò saltò in grembo alla signora Cipolloni, interrompendo il corso dei suoi pensieri. — Cosa succede? — le domandò, sfregando il suo muso sulla spalla.

— Conoscete la storia del pifferaio magico? — rispose Amalia.

— Miao, certo. È quel tipo fortunato che con un piffero faceva uscire tutti i topi dalle tane. Non so cosa darei per avere quel piffero!

— E la storia dei vestiti dell'imperatore?

— Imperatore? Chi è un imperatore? — domandò Rick curioso.

— Non importa, è una storia lunga — disse la Cipolloni. — Comunque il punto è questo. I bambini vedono le cose che i grandi non sono piú in grado di vedere. Sono pericolosi, capite? Ne basterebbe uno solo per distruggere il loro progetto.

— Il progetto di chi? — chiese Dodò che pensava ancora ai topi.

— Di quelli che vogliono distruggere qualsiasi cosa vivente che non sia l'uomo. Quei signori unti con tre pance e tre doppimenti.

— Come Triponzo! — esclamò Rick.

— Già come Triponzo, i suoi soci tripponi e il loro capo, Sua Mollosa Porchezza Pallaciccia I.

— E perché vogliono distruggere?

La signora Amalia sospirò. Sospirando alzò le spalle e le lasciò cadere dolcemente. — Non lo so — disse. — Me lo sono chiesta tante volte, ma non lo so. Dovrei avere un'altra testa per capirlo.

Rick posò il muso sulla gamba di Amalia.

— Zia Cip — disse — la tua testa va benissimo. È la migliore del mondo.

Amalia gli diede una grattatina alle orecchie.

— Bando alle malinconie — disse poi. — Adesso pensiamo al modo di agire. — Rimasero tutti e tre per un po' in silenzio. Poi, con voce squillante, Rick esclamò: — Ho un'idea!! Perché non fai una magia?

— Una magia? — ripeté Amalia. — Che magia? Non sono mica una strega. Né una fata né una strega.

— Non puoi trasformarli in rospi con la bacchetta magica? — domandò Rick deluso.

— Oltre a non esserne capace, non sono per niente sicura che i rospi sarebbero felici di avere Triponzo tra di loro. Niente magie, bisogna agire con il sale della nostra cocuzza.

— Ho un'idea! — disse Dodò.

— Sentiamo...

— I Triponzi rapiscono i bambini, giusto?

— Giusto.

— E noi abbiamo un bambino, giusto?

— Noooo! — gridò Rick come se l'avesse punto uno scorpione. — Sono un lupo.

— Sei un lupo e un bambino. Dunque stai zitto e ascolta...

— La mia idea — proseguí Dodò — è che Rick si inserisca nel gruppo. Ossia vada via con gli altri bambini.

— Splendida idea — disse Amalia, carezzando la schiena della gatta.

— A me non piace per niente — osservò Rick imbronciato.

— Vuoi far vergognare tua madre? — domandò Amalia guardandolo dritto negli occhi. Rick abbassò lo sguardo. Pensò a quando Guendy aveva chiuso gli occhi, alle sue ultime parole.

— No — mormorò piano e nello stesso istante sentí il cuore, per lo spavento, partire a cento all'ora.

Il pomeriggio stesso, con le finestre chiuse per proteggersi da sguardi indiscreti, la signora Cipolloni e Dodò misero Rick in una vasca di acqua calda e lo lavarono. Poi, in cucina, con una scodella in testa, gli tagliarono i capelli. Alla fine gli fecero indossare dei vestiti da bambino che Amalia teneva in un cassettone. Sotto il colletto della camicia zia Cip gli appuntò una cosa piccola e nera.

— Cos'è? — domandò Rick. — Una cimice?

— Quasi — rispose zia Cip. — È un microfono.

— E a cosa serve?

— A sentire quello che ti succede. Cosí, se sei in pericolo, veniamo subito a salvarti.

Rick tirò un sospiro di sollievo.

— Sei magnifico! — esclamò Dodò girandogli intorno. — Sembri proprio un vero Due Zampe.

Rick si osservava sconsolato. Conciato a quel modo non si sentiva troppo a suo agio.

— Però non so aprire le scatolette — disse, per mettere un po' di distanza tra quello che era e quello che appariva.

— Per quello c'è sempre tempo. Puoi imparare ad aprire le scatolette e tante altre cose — rispose Amalia. — Ma adesso, per finire l'opera, manca ancora una cosa.

Prese la scatola dei trucchi che aveva al circo e, con una matita nera, cominciò a ritoccargli gli occhi.

— Vediamo un po'. Un tocco qui, un tocco lí. Devono sembrare proprio quadrati...

Appena finito, si allontanò di un passo per rimirare l'opera.

— Perfetto — disse poi orgogliosa. — Sembri proprio un bambino.

— Un triponzino — aggiunse Dodò passando con la coda dritta tra le gambe di Rick. — Un perfetto triponzino.

Terminata la vestizione e il trucco, andarono in cucina. Lí Amalia preparò della cioccolata calda con i biscotti e una ciotola di tonno sott'olio. Rick stava davanti alla tazza, senza prenderla in mano. Non aveva fame.

— Mangia — lo esortò la signora Cipolloni. — Mangia, che avrai bisogno di energia.

— Niente pappa, niente salti — aggiunse Dodò con la bocca piena. — Mangia e non fare storie.

Rick obbedí e svuotò il contenuto della scodella. Poi, seduti sul divano, presero gli ultimi accordi. Al passaggio del gruppo dei bambini, Rick, con una mossa cauta, si sarebbe infilato tra gli ultimi e avrebbe cominciato a marciare e cantare come loro. Accanto a lui, protetta dall'oscurità della notte, ci sarebbe stata Dodò. Sarebbe stata lei a fare da staffetta e a riferire alla signora Cipolloni tutto quello che succedeva.

— Va bene — disse Rick con la voce tremolante — ma se là dentro succede qualcosa, io cosa faccio?

— C'è il microfono. Mi chiami e io arrivo — rispose Amalia. — Intanto io non me ne starò certo con le mani in mano.

Da quel momento in poi, il tempo per Rick cominciò a non passare. Seduto in poltrona, con le braccia abbandonate in grembo, guardava ogni istante l'orologio e l'orologio non si muoveva mai. Almeno ci fosse stata Ursula, con lei vicino non avrebbe avuto paura o ne avrebbe avuta meno. Ogni cosa a suo tempo, aveva detto la zia Cip il giorno in cui l'avevano vista lassú chiusa tra le sbarre. E se zia Cip si fosse dimenticata della promessa? Se gli sgherri di Pallaciccia intanto avessero fatto fare ad Ursula la stessa fine che aveva fatto Guendy? Tanto tempo prima, sull'albero, Ursula gli aveva detto che essere amici voleva dire salvarsi l'un l'altro dai pericoli. Adesso lei era in pericolo e lui non poteva fare niente. Rick diventò triste. "Non sono un vero amico" pensò. "Non sono un vero lupo e neanche un bambino, non sono niente." In quell'istante sentí il naso umido di Dodò sfiorargli la mano.

— È ora, triponzino — disse e con un balzo saltò giú dalla poltrona. Senza troppa fretta Rick si alzò e la seguí. La tristezza era andata via e al suo posto era tornata la paura. Mancavano venti minuti a mezzanotte quando lui e Dodò uscirono in strada e si nascosero dietro un cassonetto della spazzatura.

L'esercito di bambini arrivò puntualissimo. Piú si avvicinava, piú Rick sentiva le gambe di cemento. "Per niente al mondo ce la farò a muovermi" pensò, e appena l'ebbe pensato sentí il braccio destro andare un po' ver-

so l'alto come se qualcosa lo stesse tirando. All'improvviso si ricordò di Guendy e dell'aquilone. Alzò la testa verso il cielo. Guendy era lassú e lo stava guardando. Dove lui andava, lei l'avrebbe seguito. Di cosa mai poteva avere paura?

In quell'istante una stella si staccò dalla volta celeste.

"Voglio che la Terra diventi un Cerchio Magico e tutto finisca presto" pensò Rick vedendola cadere.

In quello stesso istante Dodò lo spinse da dietro e Rick si trovò in coda alla fila di triponzini. Dietro al gruppo c'era il grande camion con i fari bassi, davanti e intorno un centinaio di bambini.

Con lo sguardo fisso davanti a sé Rick cominciò a cantare l'odiato inno:

Un mondo pulito e obbediente,
panza piena e in testa niente.

In poco tempo lasciarono la città alle spalle e presero una strada che andava verso le montagne. A parte le luci del camion, tutto il resto intorno era buio. Con la coda dell'occhio ogni tanto Rick controllava se ci fosse Dodò al suo fianco. L'aveva persa di vista nel momento stesso in cui era entrato nella fila. Adesso aveva paura che lei, con le sue zampe corte, non ce l'avesse fatta a tenere il passo. Marciando, Rick si accorse che nessuno guidava la fila, eppure il gruppo sapeva perfettamente dove andare. "Forse ha ragione zia Cip" pensò. "Nascosto nell'aria c'è davvero un pifferaio che nessuno vede."

Il Castello dei Sogni

Dopo l'ennesima curva, davanti a loro comparve un enorme castello. Aveva almeno dieci torri ed ognuna era coperta di radar e di antenne fino al cielo. Intorno, invece di esserci prati o boschi, c'erano diversi chilometri di cemento fresco.

Nella marcia di avvicinamento, Rick fu colpito da un fatto strano. Insieme all'odore di cemento c'era un altro odore, un odore che aveva sentito spesso quando i circhi mettevano le tende a Villa Gioiosa. Era odore di elefante, anzi di cacca di elefante, una delle piú grandi e puzzolenti del mondo. Ma com'era possibile che le legioni di Triponzo permettessero la produzione di stragrandi cacche di elefanti, dato che non sopportavano neanche la cacca dei piccioni? C'era qualcosa di sospetto.

A conferma della sua ipotesi, dopo pochi metri, Rick vide dei grandi tendoni rossi e blu. Ce n'erano tre, uno accanto all'altro e, a occhio e croce, potevano contenere una cinquantina di elefanti. Accanto a loro, c'era una grande torre costruita tutta con pali di metallo. Degli uomini con una tuta arancio stavano finendo di montare la cima. A cosa mai poteva servire? Non c'erano antenne né radar, lassú, ma soltanto una grande piattaforma elastica, simile ad un trampolino, che si protendeva nell'aria.

"A cosa mai servirà?" si domandò Rick.

In quello stesso istante, scivolando silenziosi sui pattini, una decina di robot s'affiancarono al plotone di bambini. Avevano le braccia lunghe e a tenaglia come quelle dei granchi e, al posto della testa, l'occhio grande e ottuso di una telecamera gigante. Due di loro si misero in testa al corteo e, giunti davanti al cancello, azionarono le cellule fotoelettriche per aprirlo. Rick cercò rapidamente con lo sguardo Dodò, ma non c'era da nessuna parte. Il portone lentamente si spalancò e Rick, come una foglia trasportata dalla corrente, vi finí dentro assieme a tutti gli altri. Alle loro spalle le porte si richiusero pesantemente. Continuando a cantare, con la voce sempre piú tremula, Rick si guardò intorno.

Erano arrivati in un salone grandissimo e il pavimento era di cemento come all'esterno. Alle pareti c'erano decine e decine di schermi televisivi di varie dimensioni. Appena ebbero finito di cantare, il piú grande si accese.

Tutti gli sguardi dei bambini si voltarono in quella direzione. Comparve un uomo disegnato con una corazza spaziale addosso e in testa un casco con sei corni e il viso di un maiale. Dalle bocche dei bambini si levò un urlo di entusiasmo.

— Ruttik Boy — gridarono — il Principe delle Pattumiere Stellari!

L'eroe sorrise bonariamente.

— Già, piccoli terrestri — disse pulendosi una delle unghie dei suoi zoccoli di porco. — Sono proprio io. Io in persona e sono qui per augurarvi il benvenuto nel Castello dei Sogni! Benvenuti, anche da parte del mio illustre padrone, Sua Mollosa Porchezza Pallaciccia I! Forse vi chiederete perché questo si chiama il Castello dei Sogni. Invece di darvi lunghe e noiose spiegazioni, che vi farebbero pensare di essere a scuola, vi darò subito una dimostrazione. Basta con i sacrifici, basta con gli sforzi, che ogni vostro desiderio sia un ordine!

In quell'istante i bambini sentirono il rumore di qual-

cosa che scorreva sopra le loro teste, il soffitto si aprí e subito, dall'alto, cominciò a cadere una pioggia di merendine. Nella sala ci fu un parapiglia generale, tutti cercavano di accaparrarsene il piú gran numero possibile. Rick era confuso e frastornato, non aveva mai lottato con nessuno per conquistarsi una merendina. Si mosse un po', per non dare nell'occhio, ma fu maldestro e restò a mani vuote. Appena la situazione si fu calmata, Ruttik Boy riprese la parola.

— Quello che avete visto adesso — disse trionfante — non è che l'inizio. Qui ogni vostro desiderio sarà realizzato in un tempo cosí breve che non avrete neanche il tempo per accorgervene. Potrete partecipare a tutti gli show televisivi che finora avete visto, entrare nei film e nei cartoni animati. Non c'è limite ai desideri, non c'è sogno che non si avveri. Siccome vedo che alcuni di voi sono increduli, ve ne darò una dimostrazione.

Nello stesso istante si accesero tutte le TV della sala.

Ogni TV reclamizzava, a volume massimo, un giocattolo diverso. C'era un rumore terribile e i bambini, per non
perderne neanche uno, muovevano la testa da tutte le
parti.

— Tu — disse Ruttik Boy, puntando lo zoccolo di
porco contro un bambino delle prime file — avvicinati
allo schermo dove c'è il giocattolo che vuoi ottenere.

Il bambino timidamente uscí dalla fila e si avvicinò ad
una televisione dove veniva reclamizzato il videogioco
Elisir di Fogna.

— Tocca il vetro! — tuonò Ruttik Boy dall'alto.

Il bambino obbedí subito e con un dito sfiorò lo
schermo.

In meno di un secondo, davanti agli occhi esterrefatti
di tutti, successe qualcosa di straordinario. Nelle mani del
bambino si materializzò una scatola dell'Elisir di Fogna.

Vi fu un "Oooohooh" di meraviglia generale e alcuni
si precipitarono verso le TV dei loro desideri.

— Calma! — tuonò il Principe delle Pattumiere Stellari, agitando gli zoccoli in aria. — Calma e ordine.
Adesso i nostri robot-vallette vi indirizzeranno gentilmente verso il vostro settore di maggior interesse. Met-
tetevi in fila e rispondete alle loro domande.

In breve le file furono ricomposte. In fondo alla sala
c'erano tante porte e davanti ad ogni porta un robot con
la telecamera in testa. Rick finí nella coda centrale. Sentí
il robot domandare al primo bambino: — Qual è il tuo
programma preferito? Cosa sogni?

Il bambino rispose immediatamente e fu fatto passare
oltre la porta. Rick sentí il suo cuore che cominciava a
battere velocissimo. Cosa mai avrebbe potuto rispondere
al robot? Non conosceva i programmi della televisione e
nessuno gli aveva insegnato il linguaggio dei robot.
Quanto ai desideri, poi, ne aveva uno solo: starsene a
dormire sul prato della signora Cipolloni.

Uno dopo l'altro i bambini davanti a lui varcarono la

soglia. Quando fu il suo turno, il robot, con voce gradevolmente sintetizzata, gli chiese: — E tu, piccino, cosa desideri?

Dietro la schiena Rick si torceva le mani.

Il robot ripeté la domanda. Rick lo guardava dritto nella telecamera, sorridendo gentilmente. Sentiva delle goccioline di sudore scendergli lungo la fronte.

— Piccino — domandò per la terza volta la macchina — di tutta questa cornucopia di doni non desideri neanche una cosa?

A quel punto Rick fece un tragico errore, cioè mosse leggermente la testa da una parte all'altra come se dicesse no.

Il robot subito allungò la telecamera verso la sua faccia. Era successa una cosa terribile. Il sudore aveva sciolto il trucco degli occhi, che non erano piú quadrati come uno schermo, ma tondi come quelli di un gatto. Il robot lo scrutò per qualche istante in silenzio. Poi sulla sua testa si accesero all'improvviso delle luci gialle e arancioni e dai suoi monitor uscí una sirena d'allarme. — *Buisp buisp buisp*, allarme generale — gridò — allarme. Errore di programmazione.

Subito due grandi robot, agitando i tentacoli meccanici in aria, si mossero veloci sui loro pattini in direzione di Rick.

Rick si guardò rapidamente intorno. Accanto alla porta vide il bocchettone aperto di una presa d'aria. Riuscí a saltarvi dentro appena un istante prima che le chele dei robot l'afferrassero. Lo spazio non era sufficiente per stare in piedi, cosí Rick cominciò a muoversi a quattro zampe.

Sebbene fosse buio correva con la massima velocità possibile. Cos'era quella galleria? Dove portava? Sperando che portasse all'aperto, Rick continuò ad andare avanti. Dietro di lui, dalla sala veniva un gran fracasso.

La voce di Ruttik Boy sovrastava tutte le altre.

— Calma — gridava. — Calma. Non è successo niente, rimettetevi in fila e continuate a scegliere. Desiderate e scegliete. Scegliete e desiderate, con ordine.

Quando la voce non si sentiva piú, Rick si fermò a riprendere il fiato. Dove portava quel cunicolo? Portava fuori, in salvo, o finiva in un posto ancora peggiore? Dov'era finita Dodò? Perché non l'aveva seguito dentro il castello, come aveva promesso? Lo aveva forse tradito anche lei? E zia Cip cosa stava facendo? Anche se era un lupo, come avrebbe fatto a lottare contro tutti quei robot guerrieri? E Guendy? Era vicina a lui anche là dentro oppure no? Si ricordò del microfono. — Pronto, zia Cip? Sono io, Rick. — Subito sentí la voce della zia Cip che lo tranquillizzava. — Sono qui, tesoro. Ho sentito tutto. Non farti prendere. Continua a esplorare.

Con piú calma, Rick riprese a gattonare dentro la conduttura d'aria. Camminò nel buio totale, senza vedere dove andava, per un tempo che gli parve infinito. Poi, proprio quando, stremato, stava per buttarsi per terra e piangere, vide comparire in fondo al tubo un lieve chiarore. Allora accelerò l'andatura. Piú andava avanti, piú la luce diventava intensa. "Sono salvo" pensò allora, ma fu un pensiero che non durò a lungo, perché appena si affacciò all'uscita si accorse di non essere fuori, ma in un'altra sala del castello.

La soluzione finale

La prima cosa che colpí Rick fu un forte odore di em-
mental o gorgonzola, qualcosa del genere. "Sarò nelle
dispense" si disse, ma avvicinando il viso all'uscita si
accorse che davanti a lui c'erano solo due grandi piedi.
Erano quelli a puzzare di formaggio. Sopra i piedi c'erano due caviglie, due polpacci e due inizi di ginocchia.
Era arrivato sotto una grande sedia. Una sedia cosí grande da parere un trono, e qualcuno vi era seduto sopra.
Per sapere chi fosse Rick non dovette attendere molto.
Dopo qualche secondo, infatti, una voce mollemente
biascicante disse: — Beeenvenuti miei fiiidi.

Rick deglutí, mentre un sudore freddo gli copriva tutta
la schiena. Era finito sotto il trono di Sua Mollosa Porchezza Pallaciccia I!

— La vita è sooogno, miei cari — domandò in quel
momento Pallaciccia — o i sogni sono la viiita?

Dal basso rispose un coro, all'unisono.

— I sogni sono la vita! La nostra vita è la realizzazio-
ne di un sogno!

Rick si sporse un po' e vide che nella sala sottostante
c'erano Triponzo e tutti gli amici della festa.

Appena il coro tacque Sua Mollosa Porchezza riprese
a parlare.

— Vi ho voluti tutti qua, caaarissimi, perché oggi è un

gran giorno. Quel giooorno che aspettavamo con ansia fin dal momento in cui abbiamo capito che il nooostro sogno era un sooogno che doveva diventare realtà.

Senza alcun motivo, in sala scoppiò un applauso entusiasta.

— Graaazie, graaazie — sibilò Pallaciccia con la schiuma verde che gli gorgogliava dalla gola. — Ormai — riprese — non c'è luogo del mooondo dove, da mane a sera, non si muovano le betoniere. Dalle Alpi alle Piramidi, dal Manzanarre al Reno, il cemeeento e i Super-Mega-Iper-Mercati ricoprono quasi tutto il terreno.

— Dalle Alpi alle Piramidi, dal Manzanarre al Reno il cemento e i Super-Mega-Iper-Mercati ricoprono quasi tutto il terreno — ripeté cantilenando il coro degli adepti.

— E ho l'iiiiinfinito piacere di annunciarvi che lo spettro che si aggirava nel nostro ultimo videoincontro sta per essere sconfitto. Ebbene sííí! Tutti gli orreeendi nanerottoli della città sono stati convogliati nelle nostre segrete. Segreeete dove non manca mai la luce, dove non si fa la pipí e la popò. Segrete dove non si dooorme. Laggiú, giorno dopo giorno, meese dopo meese, con tutti gli schermi accesi, ho manipolato i rimasugli della loro natura bestiaaale. Un'opera perfeeetta, perfettissima! Ormai gli omuncoli non desiderano altro che precipitarsi nei nostri straaamegamercati. Implorano di andarvi raspando con le loro manine le porte... *Gurgle blub blub...* — Pallaciccia si schiarí la voce. — Per quanto riguarda l'altro spettro – lo speeettro della Cipolloni Amaaalia – vi chiedo di pazientare soltanto quaranta minuti. Quaranta piiiccolissimi minuti, perché tra quaranta minuti esatti, lei, *uack uack uak*, leeei, le sue piante e i suoi gatti pulciosi, *puff strapuff*, non ci saranno piúúú! *Uack uack uack!* Come è possibile? direte forse voi. Che magia è questa? E allora io vi risponderò con un'aaaltra domanda. Chi di voooi sa come si sono estinti i dinosauri?

Rick sentiva il sangue salirgli alla testa e alle mani.

Adesso non aveva piú paura, aveva solo voglia di uscire e piantare gli artigli nelle trippe di Sua Mollosa Porchezza. Dovette fare un grande sforzo per trattenersi. Per fortuna zia Cip era all'ascolto.

Gurgle blub blub. Sua Porchezza si schiarí la voce.

Alcune sedie scricchiolarono, qualcuno tossí. Tutti sapevano come fosse avvenuta la scomparsa, ma si vergognavano a dirlo. Sua Mollosa Porchezza puntò gli occhi porcini sui tripponi.

— Si sono estinti per il vento, mieiii caaari — disse. — Non per il vento sceso dai mooonti, ma per quello uscito da sotto le loro cooode! Sissignori! Le loro paaance hanno fermentato per millenni, *burble cloc cloc puc puc puc*, poi, all'improvviso, *strastrasprunz* in una vooolta sooola tutto il gas è uscito! Uno Spetocchio Cooosmiiico li ha distrutti! In meno di un secondo gli stupidi colossi sono stramazzati al suolo. Sono morti loro e le foglie, gli alberi. Ooogni forma vivente è stata annullata da quella nuuube veeerde!

In sala seguí un silenzio imbarazzato.

— La natura — proseguí Pallaciccia — ci è maestra e fonte di ispiraziooone. Soltanto lei, con la sua perfidia, poteva inventare dei gaaas cosí poteeenti da far estinguere le specie da essa stessa prodotte. Per questo dico: la natura ci ha offerto la soluziooooneee! A questo punto vi sarà chiaaaro perché allevo elefanti nelle stalle qui accanto e perché, ooogni giorno, al castello arrivano camion straaapieni di fagioli. Gli elefanti e i fagioli sono la nooostra soluziooone finaaale! A questo piano hanno lavorato per aaanni i migliori studiosi di fermentazione intestinale, i migliori ingegneri. Quando scoccherà l'ora fatidica gli elefanti verranno issati su un grandiiissimo trampolino. Da lí un braccio meccanico li spingerà giú e nell'istante steeesso in cui toccheranno terra... *Buuum buuum strabum*, i gas accumulati dai fagioli usciranno fuooori e un tubo snodato li convoglierà a casa della Cipolloni Amaaalia. Li convoglierà sui prati, sugli alberi e, oooplà, in meno di un seeecondo ogni forma di vita ostile cesserà di esistere!

Il pubblico era ammutolito dall'ammirazione.

— Naturalmente — aggiunse Pallaciccia con tono grave — tuuutti i nostri seguaci sono stati avvisaati. Poco prima dell'ora X si ritireraaaanno nei bunker appositamente costruiiiti. Va da sé che anche il casteeello – tranne una parte delle segrete – è completamente isolato, a prova di qualsiasi spiffero intestinaaale.

Pallaciccia fece un sospiro, come un bambino il cui sogno sta per realizzarsi. — All'ora X — proclamò poi staccando le parole e con tono grave — mancano esattamente trentotto minuti e venti sec...

A quel punto le porte della sala del trono si spalancarono con violenza e irruppero dentro dieci robot guerrieri.

— Allarme. Errore di programmazione — gridarono all'unisono e, travolgendo i presenti, si precipitarono verso il trono.

— Cooosa succeeede? — strepitò in falsetto Sua Mollosa Porchezza. Ma i robot, invece di rispondergli, si tuffarono con le lunghe chele sotto il suo trono.

Dopo un secondo Rick, sospeso in aria dalle chele dei robot, si trovò faccia a faccia con Pallaciccia. Era talmente schifoso che non riuscí a trattenersi dal ringhiare: — *Grrrrroaf grrr...*

— Ohooh — esclamò Pallaciccia — avete visto chi è venuuuto a farci visita? L'orrido e vomitooooso lupacchiotto, lo sgorbio ficcanaaaso... — Allungò una mano per accarezzarlo. Rick si divincolò con tutte le forze per non farsi toccare.

— Amoruuuccio — gli disse Pallaciccia, grattando con un'unghia lunga e verde la sua guancia. — Come potevi illuderti di essere piú furbo di noooi? Hai ficcato il naso troooppo e l'hai ficcato male. Peccaaato — aggiunse poi con un sospiro di rammarico — davvero pec-

cato che tra un po' questo bel naaasino debba inalare lo Spetocchio Coooosmiiico. *Snaf snaf snaf* — rise per un po', battendosi le mani sulle cosce. Poi ridivenne serio, schioccò le dita e ordinò: — Gettaaatelo nelle segreeete!

— Ogni suo desiderio è un ordine, Vostra Porchezza — risposero i robot e, tenendo Rick tra le loro braccia snodate, si avviarono verso l'uscita.

Passando davanti a Triponzo, Rick socchiuse gli occhi come fessure e ringhiò con tutto il furore che aveva in corpo. Prima che le porte si chiudessero, sentí ancora Pallaciccia dire: — E adesso, champagne! — Poi la voce si allontanò e Rick iniziò la sua discesa verso le segrete.

Dopo aver sceso infinite scale a chiocciola sempre piú buie e aver varcato due canali con scarichi di fogna, venne scaraventato in una cella con una grande porta a sbarre. Appena solo cercò con le dita il microfono nascosto sotto il colletto della camicia. Per quanto frugasse, però, non riuscí a trovarlo. Possibile che non ci fosse piú? Si era forse staccato mentre i robot lo conducevano nelle segrete? O era successo subito dopo che aveva parlato con zia Cip? Dove aveva potuto perderlo? E adesso chi sarebbe venuto a salvarlo? Non l'avrebbero mai trovato!

Disperato Rick si lasciò cadere sul pavimento.

Solo allora si accorse che, accanto alla sua cella, ce n'era un'altra. Era enorme e piena di bambini. Una parete di vetro la separava dalla sua. Lí c'era una forte luce al neon e, da terra al soffitto, le pareti erano coperte da apparecchi televisivi. Ognuno trasmetteva un programma diverso. La sua cella, al contrario, aveva le pareti nude e lisce, solo in alto si intravedeva l'apertura di una presa d'aria. "Da lí, tra non molto" pensò Rick guardandola "qua dentro scenderà lo Spetocchio Cosmico."

Cercò di attirare l'attenzione degli altri bambini battendo sul vetro. Per quanto rumore facesse, quello delle televisioni era ancora piú alto. Neppure uno si voltò nella sua direzione. Riuniti in piccoli cori ripetevano gli slogan dei loro eroi preferiti. In punta di piedi e con le mani tese, accarezzavano le immagini che correvano sullo schermo. "Dev'essere questo lo shampoo del cervello che diceva la zia Cip" pensò Rick, esausto e senza piú speranze.

Ormai alla deflagrazione dello Spetocchio Cosmico doveva mancare pochissimo. Perché zia Cip e Dodò gli avevano fatto promesse che non erano state in grado di mantenere? Perché l'avevano messo in quel pasticcio? Non sarebbe stato meglio rimanere a casa, ignorando tutto? E Guendy? Era ancora lí con lui, legata al suo polso come un aquilone, oppure il filo si era rotto? Perché non l'aveva aiutato? Perché non gli diceva qualcosa?

Mentre era immerso in queste tristi riflessioni, all'improvviso gli parve di sentire un trambusto nella stanza accanto. Sopra il rumore della televisione adesso si distinguevano dei gridolini di meraviglia. Cosa stava succedendo? Avevano cambiato programma o... Prima che Rick potesse rispondersi mancò la luce e le segrete piombarono nel buio e nel silenzio.

Dopo un paio di minuti di stupore, i bambini della stanza accanto cominciarono a pigolare come pulcini senza chioccia. Rick si alzò in piedi. Cosa stava succedendo? Possibile che Sua Mollosa Porchezza avesse deciso di interrompere lo shampoo collettivo? Qualche bambino di là stava cominciando a piangere. Qualcun altro con voce neutra ripeteva: — Dove sono? Cos'è successo? Perché siamo qua dentro? — Adesso i bambini si agitavano, battevano le mani sui vetri. Gridavano: — Vogliamo tornare a casa! — con quanto fiato avevano in corpo.

Sembrava che, all'improvviso, tutti si fossero svegliati da un brutto sogno.

In mezzo a quel frastuono generale, a Rick parve di sentire un fischio modulato e lungo. Sulle prime pensò ad un'allucinazione. Soltanto quando il fischio si ripeté piú di una volta alzò la testa verso l'alto. Il fischio sembrava venire dalla presa d'aria da cui, di lí a poco, sarebbe sceso lo Spetocchio. E in effetti, aguzzando la sua vista da lupo, Rick vide che lassú stava succedendo qualcosa. C'era qualcuno dietro la grata e cercava di abbatterla per entrare dentro.

Dopo meno di un minuto la grata cedette e nella penombra si stagliò una figura. Non era un uomo, era appena poco piú grande di un bambino... Rick sentí il cuore saltargli in gola come una polpetta con il singhiozzo.

Era Ursula! Lassú c'era Ursula!

Sporgendosi verso il basso Ursula ripeté il fischio. Il loro fischio! Rick scattò in piedi e fischiò in risposta.

— Ursula! — esclamò Rick. — Sei proprio tu?

— Non esistono imitazioni, cucciolo nudo — gridò lei e, senza perdere tempo, gettò giú delle chiavi e una lunga liana.

— Ascolta, cucciolo — disse. — Abbiamo poco tem-

po, pochissimo. Questa liana e le chiavi sono l'unica via di uscita. Apri le porte, va' dai tuoi simili e di' loro di aggrapparsi alla liana e venire via. Subito.

— Non sono miei simili! — stava per rispondere Rick, ma in quell'istante, oltre il vetro, sentí piangere un bambino piccolo seduto per terra. Allora infilò la chiave nella toppa, aprí la porta con le sbarre, poi quella a vetri, e fece uscire i bambini prigionieri.

— Venite, vi riporto a casa — disse loro, per incoraggiarli. — Qui siamo tutti in pericolo! Dobbiamo fare presto.

Essendo piú pratico di loro di rami e liane, ad uno ad uno li aiutò a salire in alto. Quando non ci fu rimasto piú nessuno, con un colpo di reni saltò a metà della liana e raggiunse Ursula.

Da quanto tempo non sprofondava il muso in una vera pelliccia! Lí, in quell'odore, in quella pelliccia morbida e bruna, c'era il ricordo della felicità del Cerchio Magico.

— Sbrighiamoci, cucciolo — disse poi Ursula. — Abbiamo i minuti contati.

— Chi ti ha liberata? Come hai fatto a trovarmi?

— Dopo, ti racconterò dopo. Adesso corri. Non c'è tempo.

— Allora sai tutto? — domandò Rick, avanzando carponi lungo il tubo. — Sei tu che hai spento le televisioni?

— Già — rispose Ursula dietro di lui. — Zia Cip e Dodò mi hanno raccontato ogni cosa. Allo Spetocchio Cosmico mancano meno di dieci minuti.

— E allora? — domandò Rick ansioso.

— Allora, cucciolo, gambe in spalle e non sprecare fiato.

Cosí, in silenzio, uno dopo l'altro, Ursula, Rick e i bambini percorsero la conduttura d'aria fino all'uscita sul retro del castello.

— E adesso? — domandò Rick appena fuori.

— Via — disse Ursula. — Corriamo! Dobbiamo allontanarci prima che i robot e le fotocellule si accorgano della nostra presenza.

Rick avrebbe voluto fare tante domande. Mentre si metteva in salvo gli rimbombavano in testa come una grancassa. Chi aveva fatto uscire Ursula dalla gabbia? Come aveva potuto raggiungere il castello al momento giusto? E soprattutto, cosa sarebbe successo tra pochi minuti, quando gli elefanti con le pance piene di fagioli sarebbero saltati giú dal trampolino?

Appena ebbero raggiunto la cima della collina, Ursula, spalancando le lunghe braccia, fece segno di fermarsi.

— Qui siamo al sicuro — disse. — Sediamoci a riprendere fiato.

Rick tradusse le sue parole ai bambini. Alcuni si lasciarono cadere a peso morto sul prato, altri, piú inquieti, se ne andavano in giro dicendo: — E adesso cosa succede? Perché non andiamo a casa?

Dopo averli tranquillizzati, Rick si sedette accanto ad Ursula. — E adesso mi racconti come hai fatto a sapere tutto?

— Bisogna ringraziare Dodò — rispose Ursula cercando una pulce tra il pelo della pancia.

— Dodò?

— Già, proprio lei, la regina dei cassonetti. Veniva quasi ogni giorno a rovistare tra la spazzatura delle gabbie. Siccome ero preoccupata per te, tormentavo tutti chiedendo se ti avevano visto. Cosí un giorno è venuta e mi ha detto: «Ho trovato il tuo amico, il cucciolo nudo». Zia Cip è venuta dopo, conosce un mucchio di trucchetti. È stato grazie a lei che al momento giusto sono uscita.

— Ma allora il microfono ha funzionato. Credevo di averlo perduto.

— Ha funzionato fino a un certo punto. Quando zia Cip ha capito che non rispondevi piú, ha mandato me a cercarti. Non per nulla sono la scimmia piú veloce del mondo.

In quello stesso istante tutti i bambini intorno si alzarono in piedi.

— Ehi, cosa succede? — gridò uno.

— Gli elefanti volano! — strillò un altro.

— Non volano, saltano! — gridò eccitato un terzo.

Anche Rick e Ursula si alzarono in piedi. Le prime luci del mattino cominciavano a illuminare il paesaggio circostante. Da lassú si vedeva benissimo tutto il castello, le stalle e il trampolino che sorgeva accanto. Una decina di elefanti erano già in cima al trampolino, gli altri, uno alla volta, stavano salendo con il montacarichi. Rick notò che avevano le pance cosí gonfie da sembrare mongolfiere.

— È spaventoso... — mormorò piano. — Cosa succederà?

Intanto dal castello giungevano le note scatenate di un fox trot.

— Stanno ballando per festeggiare l'evento — osservò Ursula.

Rick la guardò. Sorrideva, grattandosi una coscia. Come faceva ad essere cosí tranquilla? Lui si sentiva le gambe molli come fossero di stracci. Nascose il viso tra la sua pelliccia. — Ursula, mormorò, ho paura...

Ursula gli grattò la testa come faceva un tempo sui rami del Cerchio Magico. Rick sentí che il suo respiro era lento e calmo.

Mentre stavano cosí, nell'aria all'improvviso risuonò il fischio acuto di una sirena.

I bambini si zittirono. Stavano immobili con la bocca aperta e le braccia abbandonate lungo il corpo.

Rick pensò a Guendy. — Non abbandonarmi, mam... — disse e, mentre lo diceva, fu assalito da un pensiero tremendo. Se lo Spetocchio fosse davvero esploso, lui dove sarebbe finito? Nella prateria dei lupi felici o in quella dei bambini?

In quello stesso istante la sirena tacque. Seguí un silenzio che sembrò interminabile. Dopo il silenzio, vi fu un sibilo. Al sibilo seguí un tonfo. Al tonfo seguí un boato.

Straspronz sproonz, sproonz sproonz spruut prrrr, straspronz prutprut prut sprunz spraz priiipritt. Straspronz sproonz, sproonz sproonz spruut prrrr, straspronz prutprut prut sprunz spraz priiipritt. Straspronz sproonz, sproonz sproonz spruut prrrr, straspronz prutprut prut sprunz spraz priiipritt.

Vincendo il terrore Rick sbirciò giú, verso il covo di Pallaciccia. Solo allora si accorse che il grande tubo che doveva convogliare lo Spetocchio verso la città, era stato deviato verso una presa d'aria del castello. I vetri esplosero per l'urto del micidiale gas e piccole nuvole verdi e dense cominciarono a levarsi verso l'alto.

Poi, piano piano, come il rumore di un temporale che si allontana, i boati divennero piú flebili. Da boati si trasformarono in gorgoglii timidi e discreti. Alla fine rimase soltanto il sibilo di una camera d'aria bucata, *pppsss*.

Un grave silenzio calò subito dopo sul paesaggio circostante.

— Guarda là — disse in quell'istante Ursula.

Rick obbedí e vide una cosa che non avrebbe mai creduto di vedere. Seduta in groppa ad un elefante, zia Cip guidava al galoppo la carica, pesante e furiosa, dei pachidermi contro il castello.

Cade una stella

Le emozioni di quel giorno furono cosí forti che Rick dormí una settimana intera.

Al risveglio si trovò solo nella stanza e si guardò nello specchio. Durante il sonno era cresciuto di parecchi centimetri. La pelliccia che, per tanti anni aveva desiderato avere, non era ancora comparsa. "Forse non verrà mai" pensò e, per consolarsi, si passò una mano tra i capelli. Sorrise. Anche se era poca, in fondo non era niente male, era lucida e folta come quella di un lupo. Ringhiò alla sua immagine riflessa e poi sorrise nuovamente. Proprio mentre stava pensando che sorridere era meglio che ringhiare, entrò la signora Cipolloni. Indossava un abito a fiori e aveva l'aria trafelata.

— Finalmente! — esclamò vedendolo in piedi. — Cominciavamo a temere che ti avesse punto una mosca tze-tze.

Poi da una borsa prese dei vestiti da bambino nuovi di zecca e lo aiutò ad infilarseli. Rick non aveva mai avuto dei vestiti cosí belli. Mentre zia Cip gli allacciava le scarpe da ginnastica entrò Ursula. — Ohoh! — esclamò battendosi le cosce. — Ecco un vero autentico Due Zampe.

— Un vero e fortunato apriscatole! — gli fece eco Dodò alle spalle.

Invece di risponderle per le rime, come aveva sempre fatto, Rick tacque e si guardò nello specchio. Zia Cip era accanto a lui e solo allora si accorse che loro due avevano le orecchie sporgenti in modo uguale e in mezzo agli incisivi, una piccola fessura che non aveva nessun altro.

— Dici che diventerò alto come te? — domandò allora alla zia.

— Come me e anche di piú — rispose zia Cip, accarezzandogli la testa.

— E mi insegnerai a fare l'acrobata?

— E ad aprire le scatolette? — miagolò Dodò da un angolo.

— Ti insegnerò tutto quello che vorrai, tesoro. Ma adesso facciamo presto che siamo in ritardo.

Uscirono subito tutti e quattro in strada.

Appena fuori Rick si accorse che qualcosa era cambiato. Sulle finestre c'erano tanti fiori e i marciapiedi erano pieni di gente. Smarrito da tanta confusione, Rick cercò la mano di zia Cip, che gliela strinse subito. Era bello camminare cosí, con le mani strette in un piccolo abbraccio. Rick era emozionato. Da quando Guendy se n'era andata in cielo, nessuno altro mai, a parte Dodò, l'aveva chiamato tesoro.

— Zia Cip? — domandò Rick per fare una prova.

— Dimmi, cosa c'è tesoro?

— Ehm, ehm... zia Cip...?

— Sí, tesoro, dimmi...

— Dove stiamo andando, zia? — disse allora Rick, mentre una specie di caldino gli scendeva dentro la pancia.

— È una sorpresa — disse Amalia.

— Una sorpresona-ona — aggiunse Ursula afferrandogli la mano libera.

La sorpresa era Villa Gioiosa.

Quando vi arrivarono c'era una gran folla. Degli uomini con i picconi e le ruspe stavano abbattendo le lastre

di cemento del Super-Mega-Iper-Mercato. Intorno a loro
decine e decine di persone piantavano alberi e fiori.

— È finita? — chiese titubante Rick.

— Finitissima, cucciolo nudo — rispose Ursula. —
Strafinita...

— E Sua Mollosa Porchezza? E Triponzo?

Ursula sospirò. — Hanno fatto la stessa fine che vole-
vano far fare a noi — disse.

Giunti in una radura libera, si sedettero sull'erba e zia
Cip aprí il cesto della merenda che si erano portati dietro. Dopo mangiato Ursula salí su un albero e gli altri si
distesero sul prato. Era il crepuscolo di una giornata di
aprile e una brezza tiepida sfiorava il parco. Gli alberi

sopravvissuti si stavano coprendo di foglie e ai piedi dei loro tronchi fiorivano le margherite e i crochi. Il vento portava fin lí le voci dei bambini che giocavano. Rick chiuse gli occhi. Quei rumori, quei profumi erano i rumori e i profumi del Cerchio Magico. Quante volte li aveva sentiti, disteso davanti alla tana con Guendy! Quante volte dal ramo di Ursula aveva visto i bambini rincorrersi, andare in bicicletta, tirare calci a un pallone.

Quel mondo gli era sembrato cosí lontano, irraggiungibile. Adesso invece sapeva che quel mondo era il suo mondo. Anche lui un giorno avrebbe avuto una bicicletta, avrebbe pedalato urlando a squarciagola assieme a tutti gli altri.

Le nuvole rosate correvano spinte dalla brezza all'orizzonte del parco. Sul prato in fondo, una bambina correva con un aquilone in mano. Rick guardò l'aquilone, guardò le nuvole. Alcune sembravano cavalli, altre elefanti. Poi, quando il sole era già scomparso, ne passò una di forma diversa. Aveva la forma di un muso con le orecchie, la forma della testa di Guendy.

Per un istante restò sospesa sopra Rick.

Rick sentí il cuore all'improvviso battergli veloce e un gran vampata salirgli in tutto il corpo. Le parole di Guendy gli rimbombavano nelle orecchie: «Se anche tutto finisce, ricordati che il Cerchio Magico di chi si vuole bene non finisce mai».

Adesso Rick sapeva che aveva ragione. Appena la nuvola di Guendy fu scomparsa, l'oscurità calò sul parco. Rick andò vicino a zia Cip.

— Ti posso venire in braccio? — le domandò piano.

— Non puoi — rispose zia Cip. — Devi.

Rimasero stretti uno all'altro per un po' in silenzio. Anche se non aveva la pelliccia, zia Cip faceva caldo lo stesso, un bel caldino tiepido. Intorno i grilli cantavano, da un cespuglio vicino giungevano i gorgheggi di un usignolo.

— Sai una cosa? — disse dopo un po' zia Cip.

— Che cosa?

Zia Cip tirò un profondo sospiro. — Ho sempre desiderato un nipotino.

In quell'istante sulle loro teste, nel buio della volta celeste, una stella all'improvviso brillò piú delle altre.

Rick la indicò con il dito: — Zia, guarda, cade una stella!

Zia Cip gli prese una mano e la strinse forte. — Esprimi un desiderio — disse.

— Voglio essere felice — mormorò piano Rick. E dopo un istante si accorse che lo era.

Appena la scia infuocata fu scomparsa nell'enormità

del cielo Rick pensò che ciò che gli aveva sempre detto Ursula era vero. Il mondo è tondo, è un cerchio, una ruota. Tutto va e tutto torna, tutto finisce per ricominciare un'altra volta.

«Perché se cosí non fosse, cucciolo nudo, non pensi che il Buon Dio l'avrebbe fatto quadrato?»

Indice

Altre proposte di lettura

Susanna Tamaro
TOBIA E L'ANGELO

Perché tutte le cose belle spariscono dalla vita di Martina? Perché i suoi genitori continuano a litigare? Perché sembrano non accorgersi di lei? Cosa ha spento nei loro occhi la luce dell'amore? E perché il nonno, che pure le vuole tanto bene, non viene piú a trovarla? Martina ha tante domande e nessuna risposta. I grandi non gliene sanno dare. E cosí un mattino, svegliandosi in una casa vuota, decide di andarsele a cercare.

JUNIOR - 10